L'Eucharistie
Transformation et communion

DU MÊME AUTEUR

COLLECTION « LES SACREMENTS »
par Anselm Grün

– Le Baptême, célébration de la vie, 2003 (2e éd), 64 p.
– La Confirmation, force et responsabilité, 2003 (2e éd), 64 p.
– La Réconciliation, avec soi-même et avec les autres, 2002 (3e éd), 64 p.
– L'Onction des malades, tendresse et réconfort, 2003, 56 p.
– L'Ordre, médiation et service, 2003, 64 p.
– Le Mariage, bénédiction pour la vie commune, 2003 (2e éd), 64 p.

Collection Sagesse

Prière et connaissance de soi, 1996 (4e éd), 80 p.
Prière et rencontre, 1996 (2e éd), 128 p.
Le jeûne. Prier avec le corps et l'esprit, 1997 (4e éd), 80 p.
La crise du milieu de la vie. Une approche spirituelle, 1998 (9e éd), 80 p.
Les rêves et la vie spirituelle, 1999 (3e éd), 96 p.
La santé, un défi spirituel (en collaboration avec Meinrad Dufner), 2000 (3e éd), 128 p.
Chemins de liberté, 2000 (3e éd),128 p.
Des repères pour vivre : les fêtes mariales (en collaboration avec Petra Reitz), 2001, 96 p.
Libérer la vie. Le chrétien et le défi de la mort, 2001 (2e éd), 144 p.
Lecture psychanalytique de la Bible, 2001 (2e éd), 144 p.
Croire en Dieu, Croire en soi, 2004 (2e éd), 104 p.
Croire, ou vivre plus, 2004 (2e éd), 88 p.
Ce que je veux, je ne le fais pas, 2004, 144 p.

Collection Thabor

L'Identité masculine en question, 2005, 192 p.

Anselm Grün

L'EUCHARISTIE

Transformation et communion

Traduit de l'allemand par

Annick Lalucq

MÉDIASPAUL

L'original de cet ouvrage a paru aux Éditions *Vier-Türme-Verlag* de Münsterschwarzach (Allemagne), sous le titre : *Die Eucharistiefeier - Verwandlung und Einswerden.*

Troisième édition 2005

Pour la France :

Médiaspaul Éditions, 48 rue du Four, 75006 Paris
ISBN 2-7122-0843-9

Pour le Canada :

Médiaspaul, 3965, boulevard Henri-Bourassa Est
Montréal, QC, H1H 1L1

Imprimé en France

Introduction

L'Eucharistie est le sacrement que nous célébrons le plus souvent : tous les jours pour les prêtres, tous les dimanches pour beaucoup de chrétiens. Mais, ces dernières années, la fréquentation de l'office a considérablement décru : on peut parler de crise de la messe dominicale. Les jeunes avouent qu'ils s'y ennuient, qu'il s'y passe toujours la même chose. Elle ne leur « apporte » rien. Les adultes ont l'impression qu'il s'agit d'un rite qui ne les concerne plus, dont le langage passe à côté de leur vie. De nombreuses tentatives visent à rendre la célébration eucharistique plus variée et plus vivante. Mais les croyants des paroisses créatives se sentent continuellement obligés de mettre en scène des représentations de l'Eucharistie toujours plus captivantes. En fin de compte, on célèbre plus un spectacle que le mystère qu'il contient.

Si nous cherchons les causes qui sont à l'origine de cette perte d'intérêt pour l'Eucharistie, nous butons immédiatement sur la question centrale de comment exprimer ensemble notre foi en cette époque post-moderne. Dans la célébration eucharistique, les problèmes de l'Église d'aujourd'hui et même de la société tout entière sont en quelque sorte exacerbés. L'Eucharistie est une fête. Or notre époque penche de plus en plus vers « l'informel ». « Elle grignote de nombreuses formes de fête, voire, interdit la fête[1]. » L'Eucharistie est mémoire. On y rappelle les récits fondateurs et prophétiques qui l'ont inspirée. Or, notre époque vit sans passé. Elle ne veut rien entendre de son histoire ni en tirer les leçons, elle veut oublier le plus vite possible. Tout s'oriente vers l'expérience désespérée de l'« ici et maintenant ». « Nous vivons pratiquement en dehors de toute histoire et nous nous situons dans le temps comme des myopes ou des asthmatiques[2]. » L'Eucharistie est fête communautaire. Or, à l'époque de l'individualisme, nous avons du mal à faire l'expérience de la communauté. Dans la célébration eucharistique, toutes les difficultés relationnelles de la dynamique de groupe affleurent. Nous n'avons aucun plaisir à nous rendre à la messe, parce que nous y rencontrons beaucoup de gens qui ne nous conviennent pas. Un autre problème est notre mutisme. Dans une « culture du bavardage », ainsi que la nomme C. A. Van Peursen, nous avons du mal, pour traduire notre foi, à trouver les mots qui vont au cœur. En fin de compte, ni la langue du *talkshow*, ni celle des conférences d'entreprise, ni celle de l'Église ne sont des langues « de rencontre »[3]. Aujourd'hui, tout doit « apporter » quelque chose. Tout doit avoir son utilité. Si nous allons à la messe en ayant en tête ces points de vue égoïstes, nous la vivons comme inutile et ennuyeuse : elle ne nous « apporte rien ».

Devrions-nous donc adapter l'Eucharistie à notre temps et comment cela serait-il possible ? Certes, chaque rite, quel

---

1. Bernard ROOTMENSEN, *Oasen in der Wüste. Lebensraüme für den Glauben* (Oasis dans le désert. Des espaces pour la foi), Düsseldorf, 1995, p. 70.

2. *Ibid.*, p. 145.

3. *Ibid.*, p. 39.

qu'il soit, nécessite d'être régulièrement repensé et modifié dans sa forme. Mais ce n'est pas par la seule chirurgie esthétique que nous rendrons l'Eucharistie plus attrayante. Il s'agit en fait de la comprendre de telle sorte qu'à nouveau elle nous parle et nous fascine. De plus, les difficultés de notre époque post-moderne, qui se cristallisent dans l'Eucharistie, sont justement une incitation à créer, contre la désertification de notre monde, des oasis où pouvoir nous désaltérer avant de reprendre notre marche dans le désert. Dans le mutisme actuel, il s'agirait d'apprendre une autre langue, qui touche le cœur des gens et leur ouvre de nouveaux espaces. Dans ce contexte d'inaptitude à la vie communautaire, il s'agirait de susciter, au sein de l'individualisme ambiant, une nouvelle façon de vivre ensemble. Pour lutter contre le vide historique, il nous faut rappeler les textes anciens, de façon à nous y retrouver nous-mêmes et à pouvoir en vivre aujourd'hui plus consciemment. Contre l'oubli, nous voulons célébrer le souvenir de l'événement central de notre histoire, la mort et la résurrection de Jésus, à travers lesquelles nous sommes rappelés à toutes les souffrances de notre monde. Pour combattre le caractère informel et « désertifiant » de notre époque, il est important de célébrer ensemble cette liturgie. « En la célébrant, nous brisons cet esprit du temps qui ne s'oriente qu'en fonction de son cadran numérique. Cela peut nous donner un espace de vie et nous faire découvrir, dans cette époque qui est la nôtre des oasis insoupçonnées[4]. » Pour combattre la tyrannie utilitaire, il est bon de préserver des espaces « inutiles », au sein desquels il est seulement question d'exprimer

---

4. *Ibid.*, p. 73.

notre être, notre nature de chrétiens sauvés. Dans un monde où l'Ego occupe une position centrale, nous avons besoin de lieux où sa domination soit brisée et où notre regard soit libéré pour Dieu, de lieux où le ciel s'ouvre et plonge la terre dans une nouvelle lumière.

Ce livre voudrait donner aux pratiquants des raisons de vivre la célébration qu'ils répètent tous les jours ou tous les dimanches avec un regard nouveau et de façon plus consciente. Nous devons toujours nous rappeler ce que nous célébrons réellement dans l'Eucharistie et pourquoi nous allons à la messe, sinon, nous sacrifierons à la routine et nous ne pourrons plus rien transmettre à nos enfants. Se cacher derrière des lieux communs ne sert qu'à couvrir ses propres doutes. Et si votre enfant vous demande pourquoi vous allez à la messe tous les dimanches, ce que cela vous apporte, ce que vous célébrez, à quoi vous aspirez, qu'allez-vous répondre ? Je connais beaucoup de gens qui ont un profond désir de l'Eucharistie mais qui souvent ne peuvent pas décrire exactement ce qui les pousse vers la messe. Ils sentent simplement qu'ils ont besoin de la célébration eucharistique pour pouvoir vivre consciemment en chrétien. Une femme me confiait que le plus important pour elle, c'était qu'au cours de la messe elle pouvait ne plus penser à elle-même. Que dans la communion, elle pouvait s'abandonner dans le Christ et oublier ses problèmes, se rendre à l'amour du Christ et s'y perdre. C'était pour elle un moment de liberté et d'amour absolus où elle sentait qu'elle touchait au mystère de la vie, un moment d'une intensité extrême. C'est pourquoi elle était toujours poussée à revenir à l'Eucharistie.

Ces dernières années, les protestants ont redécouvert l'Eucharistie. La liturgie de Lima correspond, non seulement dans son déroulement, mais encore dans sa théologie, à la compréhension catholique de l'Eucharistie. Alors qu'auparavant l'Église protestante parlait de sainte Cène et l'Église catholique de sainte Messe, c'est le même mot « Eucharistie » qui est aujourd'hui employé par les deux Églises. Eucharistie signifie action de grâces. Quelle que soit notre confession, nous rendons grâces à Dieu pour tout ce qu'il nous a accordé en Jésus Christ. Ce livre s'adresse d'ailleurs aussi bien aux protestants qu'aux catholiques. Les protestants fréquentent aujourd'hui sans problème la célébration eucharistique catholique et les catholiques prennent part à la sainte Cène protestante. Les chrétiens des différentes confessions ont ainsi devancé les hiérarchies ecclésiales à propos de l'intercommunion et s'invitent mutuellement à faire l'expérience de l'unité dans le Christ en rendant grâces. Puisse donc ce livre apporter sa contribution pour que l'Eucharistie, en tant que sacrement de l'unité, soit de plus en plus le levain qui imprègne et relie tous les chrétiens.

De nombreux chrétiens vivent aujourd'hui dans un environnement sécularisé, qui ne comprend plus la foi chrétienne, et encore bien moins l'Eucharistie. Je connais par exemple des jeunes issus des milieux areligieux de l'ex-Allemagne de l'Est. Ils sentent que c'est dans l'Eucharistie que réside le mystère du christianisme. Mais ils ne peuvent s'expliquer à eux-mêmes, ni à des amis non croyants ce qui les y attend. C'est aussi pour eux que j'ai écrit ce livre. Tout comme Philippe, dans les Actes des Apôtres, demandait au trésorier éthiopien : « *Comprends-tu ce que tu lis ?* » (Ac 8, 30), je voudrais accompagner tous ceux qui sont en chemin et qui cherchent le sens de leur vie, et leur demander à propos de l'Eucharistie : « Comprends-tu ce que tu célèbres ? » Et comme Philippe, je voudrais expliquer ce que nous célébrons, afin que mes lectrices et mes lecteurs, tout comme l'Éthiopien, puissent repartir *pleins de joie* (Ac 8, 39).

I. POUR COMPRENDRE L'EUCHARISTIE

Il n'est pas question de développer ici une théologie exhaustive de l'Eucharistie. Seules seront considérées quelques images susceptibles de nous éclairer sur ce mystère. La célébration eucharistique consiste dans la liturgie de la Parole, durant laquelle nous écoutons la Parole de Dieu et l'expliquons de façon à mieux nous comprendre nous-mêmes et à mieux comprendre le sens de notre vie ; elle culmine dans le repas au cours duquel nous communions tous ensemble et avec Jésus Christ, qui se donne lui-même comme nourriture et comme boisson dans les offrandes du pain et du vin et que Jésus nous a demandé de répéter. Saint Luc restitue ainsi ce dernier repas de Jésus avec ses disciples : *Prenant du pain, il rendit grâces, le rompit et le leur donna en disant : « Ceci est mon corps, livré pour vous. Faites cela en mémoire de moi. » Il fit de même pour la coupe, après le repas, en disant : « Cette coupe est la nouvelle Alliance en mon sang, versé pour vous »* (Lc 22, 19s).

Une commémoration

Quand les Israélites célébraient une fête, ils pensaient toujours aux hauts faits de Dieu. Dieu est pour Israël un Dieu de l'histoire, qui intervient dans l'histoire, qui modèle l'histoire. Ses faits merveilleux sont des événements historiques. La fête la plus importante, celle de Pâque, commémore la sortie d'Égypte, dans laquelle Israël voyait le miracle de son existence. Dieu avait soustrait le petit peuple à la mainmise des Égyptiens. Il l'avait délivré de la dureté des gardes-chiourme qui l'obligeaient au travail forcé. Il l'avait délivré de la captivité et de l'asservissement. Il l'avait conduit à travers la mer Rouge et le désert jusqu'à la Terre promise, au pays de la liberté et de l'abondance. Israël a fait mémoire de cette délivrance dans un repas, le repas pascal. Dieu avait ordonné à son peuple de le répéter chaque année selon un rite précis. *Ce jour-là, tu donneras à ton fils cette explication : « C'est en raison de ce que Yahvé a fait pour moi, quand je sortais d'Égypte* » (Ex 13, 18). L'Eucharistie est essentiellement mémoire d'un événement passé, de sorte que nous le revivions. Elle ramène à ce qui est salvateur, saint et unique. La répétition est « Émergence de l'être dans le courant du devenir, confirmation de l'éternité, orientation dans l'absence de but, retour dans la plénitude de l'être[5]. »

En tant que chrétiens, nous fêtons l'Eucharistie, non pour commémorer le dernier repas de Jésus, mais pour faire mémoire de tout ce que Dieu a accompli en lui : comment, à travers lui, il a parlé aux hommes, guéri des malades, redressé les découragés, appelé les pécheurs à la conversion et proclamé à tous la Bonne Nouvelle. Mais avant tout, nous faisons mémoire de la mort et de la résurrection de Jésus, dans lesquelles ont culminé sa pensée et ses œuvres. Dans notre monde sans passé ni mémoire, il est particulièrement impor-

5. Alfons KIRCHGÄSSNER, *Die mächtigen Zeichen. Ursprünge, Formen und Gesetze des Kultes* (La puissance des signes. Origines, formes et lois du culte), Freiburg, 1959, p. 440.

tant de célébrer le souvenir de la rédemption, qui a eu lieu à travers l'histoire de Jésus, afin qu'elle nous advienne aujourd'hui. Pour Bernard Rootmensen, l'absence de mémoire se manifeste aujourd'hui par la superficialité, les illusions quotidiennes, l'aptitude à oublier, la recherche de l'ivresse et l'insignifiance accordée au passé. Le célèbre rabbin Baal-Shem Tov a dit un jour : « L'oubli conduit à l'exil, mais le souvenir est le secret du salut[6]. » Dans l'Eucharistie, nous célébrons non seulement l'histoire libératrice et lumineuse de Jésus, mais aussi, à travers elle, tout ce que Dieu a accompli dans l'histoire des hommes. Nous réécoutons sans cesse, au cours de l'Eucharistie, les mêmes récits prophétiques de l'Ancien et du Nouveau Testament. Ils sont comme « des oasis dans le désert, où l'on peut reprendre souffle »[7]. Si nous cessions de rappeler ces merveilleux récits bibliques, le monde perdrait son âme.

L'Eucharistie selon saint Luc

Pour comprendre ce que nous célébrons dans l'Eucharistie, je voudrais jeter un bref coup d'œil dans l'évangile de Luc. Luc traduit l'action de Jésus dans le monde et le système de pensée des Grecs. Les Grecs ont développé les enseignements les plus importants de leur philosophie soit en marchant (les fameux péripatéticiens) soit en mangeant (pensons au « banquet » de Platon). Luc reprend ces deux thèmes et décrit Jésus comme le voyageur divin, qui descend

---

6. Voir Rootmensen, *op. cit.*, p. 147.
7. *Ibid.*, p. 28.

du ciel pour cheminer avec les hommes. En cours de route, il leur explique le sens de leur vie.

Le plus beau récit de cheminement est celui des pèlerins d'Emmaüs. On y voit clairement comment Luc comprend l'Eucharistie. Aux disciples qui fuient, déçus par leurs espoirs brisés, Jésus révèle le mystère de leur vie. C'est une image merveilleuse pour la célébration eucharistique : nous arrivons à la messe comme des êtres qui assez souvent prennent la fuite devant eux-mêmes, se sauvent devant les déceptions de leur vie. Alors Jésus lui-même vient se joindre à nous dans les lectures liturgiques pour nous expliquer notre propre existence. A la lumière de l'Écriture sainte, nous pouvons comprendre pourquoi les choses se sont passées ainsi, comment cela est arrivé, quel sens y est caché et où nous conduit notre route. Pour que les mots de la Bible éclairent nos vies, il faut une lecture qui traduise les images de la Bible dans la réalité qui est la nôtre aujourd'hui. Si nous comprenons notre vie, nous pouvons nous comporter de façon appropriée. Celui qui ne comprend pas fuit. Aujourd'hui, beaucoup de gens fuient devant eux-mêmes et devant la réalité de leur vie. Jésus voudrait nous inviter, dans l'Eucharistie, à considérer et à comprendre notre existence de façon nouvelle, à la lumière de sa Parole et de ses paraboles libératrices et éclairantes. L'Eucharistie nous permet d'appréhender notre vie à partir de notre foi en Jésus Christ.

Une deuxième piste pour la compréhension de l'Eucharistie nous est donnée par les nombreuses scènes de repas rapportées par Luc. Le repas eucharistique est pour lui le prolongement des repas que Jésus a partagés durant sa vie avec des justes et des injustes, des pécheurs et des innocents. Au cours de ces repas, Jésus leur a permis d'expérimenter la bonté et l'amour de Dieu pour les hommes, et il leur a prodigué des dons divins : son amour et sa miséricorde, son acceptation inconditionnelle, le pardon des péchés et la guérison de leurs maladies. Les repas de Jésus avec les pécheurs et les justes sont empreints de joie et de reconnaissance pour la proximité salvifique et libératrice de Dieu. Tout comme les philosophes grecs, qui, la plupart du temps, développaient leur enseignement au cours de banquets, Jésus apparaît dans l'évangile de Luc comme le maître qui annonce les points forts de son message à l'occasion de repas. Dans sa Parole, il nous renvoie toujours au noyau divin qui est en nous. Notre Moi est plus important que la part qui, en nous, doit remplir ses devoirs et maîtriser son quotidien. Nous avons une dignité divine. En nous existe un noyau divin. Le Royaume de Dieu est en nous. Nous-mêmes sommes demeure de Dieu. En cela consiste notre nature, en cela est notre dignité.

Le premier repas rapporté par Luc est celui que Jésus prend en compagnie de collecteurs d'impôts et de pécheurs (Lc 5, 27-39). Nous sommes, tels que nous sommes, avec nos défauts et nos faiblesses, invités au banquet de l'amour. Les repas qui suivent ont lieu dans la maison d'un pharisien. Jésus expose l'objet de sa prédication : l'amour de Dieu et sa promesse de pardon (Lc 7, 36-50). Et il montre aux pharisiens en quoi ils sont éloignés de l'amour de Dieu (Lc 11, 37-54). La parabole du fils prodigue, que Jésus raconte pour faire comprendre ses repas partagés avec les pécheurs, est une belle image pour décrire l'Eucharistie. Nous sommes comme le fils prodigue. Nous nous sommes rendus étrangers à nous-mêmes et avons perdu notre demeure intérieure. Nous avons bradé nos talents. Nous avons vécu en bordure de nous-mêmes. A présent, nous apaisons notre faim à vil prix. Et cela va de moins en moins. Dans l'Eucharistie, nous nous mettons en marche vers la maison de notre Père. Nous sentons que nous y recevrons ce qui apaisera vraiment notre faim, l'Eucharistie est le festin que le Père a donné pour nous. Le Père dit aussi de nous : *Mon fils que voici était mort, et il est revenu à la vie, il était perdu et il est retrouvé* (Lc 15, 24). C'est pourquoi nous sommes conviés à festoyer et à nous réjouir. Nous étions morts, coupés de nos émotions, retranchés de la vie. Nous nous sommes perdus nous-mêmes, nous sommes tombés de notre nid. Mais dans l'Eucharistie, nous revenons à nous et renaissons en prenant part au repas de la vie. Alors, nous découvrons qui nous sommes et ce qui fonde véritablement notre être : nous sommes aimés de Dieu inconditionnellement, Dieu nous attend, il n'est jamais trop tard pour se remettre en route et pour rentrer là où nous sommes vraiment chez nous.

C'est dans la maison de Zachée, le collecteur d'impôts, que Jésus prend son dernier repas avant la Cène. Comme Zachée, nous arrivons avec nos complexes d'infériorité, que nous compensons en amassant le plus d'argent et de biens possible. Nous souffrons de notre infériorité et aspirons à être aimés sans conditions. Cela, nous pouvons l'expérimenter, comme Zachée, dans l'Eucharistie. Au cours de ce repas, Jésus prononce par deux fois le mot « aujourd'hui » : *Il faut que je loge aujourd'hui chez toi* (Lc 19, 5) et : *Cette maison a reçu aujourd'hui le salut* (Lc 19, 9). Dans l'évangile de Luc, ce mystérieux « aujourd'hui » revient sept fois. Il correspond aux sept sacrements, dans lesquels se reproduit aujourd'hui ce qui s'est passé autrefois. Jésus est parmi nous et il partage notre repas. Il nous annonce sa Parole. Il guérit nos maladies. Tout comme Zachée, nous nous présentons avec le sentiment de manquer de valeur. Nous arrivons comme les lépreux, qui ne se supportent pas eux-mêmes, qui ne peuvent s'accepter. Nous sommes comme des aveugles et des paralytiques, porteurs de beaucoup de taches noires et paralysés par notre peur. Nous sommes courbés, résignés, déçus par la vie, nous plions sous le poids de l'existence. Dans l'Eucharistie, Jésus nous redresse et nous dit ces mots : « Aujourd'hui, le salut t'est accordé, parce que toi aussi tu es une fille, un fils d'Abraham, parce que toi aussi tu es de nature divine » (cf. Lc 19, 9).

Luc, dans ses multiples récits de repas, veut expliquer le sens de ce qui se produit au cours de chaque Eucharistie. Mais pour lui, l'Eucharistie est en premier lieu la commémoration du dernier repas de Jésus avec ses disciples, au cours duquel le geste de rompre le pain et de boire à la coupe a reçu un sens neuf. Jésus a utilisé le rite du repas pascal pour recommander à ses disciples un rite nouveau, à répéter après sa mort pour perpétuer le souvenir de son amour. Il donne aux rites juifs du repas pascal un sens autre. La fraction du pain renvoie à la mort qui l'attend sur la croix, où Jésus est « rompu » pour nous. Elle n'est ni catastrophe, ni échec de sa mission, mais expression de sa passion pour les hommes. Dans la fraction du pain, il se sert lui-même à ses disciples. C'est un signe de son amour, avec lequel il nous aime au-delà de la mort. Chaque Eucharistie nous assure de cet amour, qui est la base sur laquelle nous pouvons construire, la source dont nous vivons. Le vin présente Jésus sous l'aspect de son sang, sur lequel est fondée la nouvelle Alliance. Le sang est le signe d'un amour versé pour nous. La nouvelle Alliance, à laquelle Jésus nous convie lors de son dernier repas, est l'Alliance de l'amour inconditionnel de Dieu. La première Alliance reposait sur un engagement réciproque. Dieu se liait à son peuple à condition qu'il observe ses commandements. A présent, Dieu scelle dans le sang de Jésus, dans l'amour humanisé de son fils, une alliance inconditionnelle. Il s'attache à nous par amour. Il est certain que son amour, visible dans son sacrifice, transformera nos cœurs.

Comment faut-il comprendre cet acte symbolique de Jésus ? Une spéculation philosophique sur la façon dont Jésus peut se donner à nous sous les apparences du pain et du vin ne débouche sur rien. La nature du repas eucharistique ne peut se concevoir que par l'expérience de l'amour humain.

Maria Caterina Jacobelli, une spécialiste italienne du folklore, comprend le mystère du repas pascal, en tant que femme et mère, à partir de l'amour humain : « Quelle mère, quelle amoureuse, serrant le corps de son nouveau-né ou de son époux, n'a pas ressenti le désir intense de se faire nourriture pour l'être aimé ? Quelle mère n'a-t-elle pas eu envie de se réapproprier ce corps sorti d'elle ? Quelle amante n'a-t-elle pas, dans l'étreinte amoureuse marqué de ses dents le corps de l'être aimé. "Je te mangerais..." ... Qui n'a prononcé ou entendu cette phrase ? Cela signifie s'unir à l'être aimé dans une fusion dévorante, devenir repas, se transformer en vie, être nourriture l'un pour l'autre, pour vivre ensemble dans une unité parfaite, plus parfaite encore que l'union sexuelle[8]. » C'est parce que Jésus a voulu montrer concrètement à tous les hommes de tous les temps qu'il les aimait, qu'il a institué l'Eucharistie. C'est le testament de son amour, le lieu où nous pouvons toujours renouveler l'expérience de son amour par tous nos sens. Quand, dans le pain, je mange et mâche son corps, je me représente que cela est le baiser de son amour. Et quand, dans le vin, je bois son sang, qu'il a versé par amour pour moi, me reviennent à l'esprit ces mots du Cantique des cantiques : *Ton amour est meilleur que le vin* (Ct 4, 10).

Dans de nombreuses cultures, il existe des repas sacrés par lesquels ce que nous pressentons dans chaque repas devient réalité. Dans chaque repas, nous recevons une part des dons de Dieu, une part de sa création, une part de son amour. Ainsi, nous pouvons ressentir chaque fois quelque chose de la bonté et de la tendresse de Dieu pour nous. L'Eucharistie est le sommet de tout ce que les hommes cherchent en se restaurant. Quand on savoure sa nourriture et qu'on est tout à son délice, on fait déjà, en quelque sorte, l'expérience de l'union avec Dieu. L'Eucharistie nous révèle ce qui a lieu à chaque repas : l'union avec le Créateur de tous les dons. Mais en même temps, l'Eucharistie est un repas sacré, que l'Église primitive a comparé à ceux des cultes à mystères de l'Antiquité. Les participants (les *mystes*) considéraient qu'ils y mangeaient Dieu lui-même et ne faisaient plus qu'un avec lui. Ainsi, non seulement ils

8. Maria Caterina JACOBELLI, *Ostergelächter. Sexualität und Lust im Raum des Heiligen* (Sourires de Pâques. Sexualité et plaisir dans le domaine du sacré), Regensburg, 1992, p. 111.

accueillaient la divinité, mais ils se donnaient à elle. Ils s'abandonnaient et se livraient totalement à l'acte de manger pour expérimenter charnellement l'union avec la divinité. Les repas rituels sont « les noces de l'âme humaine avec la divinité »[9]. Les mystiques chrétiens louent à la communion « la suavité du Dieu délicieux »[10]. Et nous, nous chantons parfois ces vers : *Gustate et videte quoniam suavis est Dominus* (Goûtez et voyez comme est bon le Seigneur).

La communion est l'expérience charnelle de l'amour de Dieu. Chaque Eucharistie nous assure de cet amour divin dont le Christ nous a illuminés pour que nous puissions en vivre et nous y plonger, afin de devenir nous-mêmes source d'amour pour les autres.

L'interprétation de l'évangile de Jean

Jean, le plus mystique des évangélistes, a sa compréhension personnelle de l'Eucharistie. Il a essayé de rendre celle-ci accessible à ses contemporains, fascinés par la gnose. La gnose était un mouvement important à la fin du premier siècle, un peu comme le courant de l'actuel New-Age. Les gnostiques cherchaient la révélation, la vie véritable. Ils étaient persuadés qu'il devait y avoir « quelque chose d'autre ». Jean leur répond en les renvoyant au pain du ciel, que Dieu leur donne. *Jésus lui-même est ce pain. Je suis le Pain de Vie, celui qui vient à moi n'aura plus jamais faim et celui qui croit en moi n'aura plus jamais soif* (Jn 6,35). Nous ne pou-

9. Walter SCHUBART, *Religion und Eros* (Religion et eros), München, 1941, p. 135.
10. *Ibid.*, p. 135.

vons concevoir l'Eucharistie comme séparable de l'existence entière de Jésus. En Jésus, dans ses paroles et dans ses actes, nous apparaît la vie vraie, éternelle, que Dieu offre aux hommes. Jésus, de tout son être, est le pain descendu du ciel, qui apaise notre faim de vie authentique.

Jean interprète la vie de Jésus et le déroulement de l'Eucharistie sur le fond de la sortie d'Égypte. Au cours de leur traversée du désert, Dieu avait accordé aux Israélites la manne tombée du ciel pour les fortifier sur leur route. La traversée du désert d'Israël décrit une situation qui demeure la nôtre. Nous sortons encore du pays de la servitude, de l'exil et de la déception et sommes toujours en route vers la Terre promise, le pays de la liberté, le pays où nous pourrons être totalement nous-mêmes. Mais sur notre route, tout comme les Israélites, nous regrettons le ragoût des Égyptiens. Notre faim de nourritures terrestres est souvent plus forte que notre faim de liberté, de vie et d'amour. Sur le chemin de cette quête, Jésus s'offre comme le pain de la vie. *Je suis le pain de vie... si quelqu'un mange de ce pain, il vivra éternellement* (Jn 6, 48.51). Celui qui accueille Jésus fait cette expérience. Sa faim de vie est apaisée.

Au point culminant de son discours sur le pain, Jésus explique que celui-ci est chair, qu'il donne *pour la vie du monde* (Jn 6, 51). La révélation de son amour atteint son apogée dans sa mort sur la croix. Sur la croix, Jésus nous a aimés jusqu'au bout. Et il veut que nous participions dans chaque Eucharistie à ce sommet de l'amour. Dans le pain eucharistique, il nous tend son corps, il nous tend son amour devenu chair. Ceci est inacceptable pour les Juifs. Aujourd'hui encore, pour beaucoup, cela est difficile à croire.

Il leur est difficile de lier le mot Eucharistie avec les concepts de « corps » et de « sang ». Cela leur rappelle des scènes brutales, au cours desquelles le sang a été versé. Une paroissienne me disait qu'elle ne pouvait boire au calice si le prêtre le lui tendait en prononçant les mots : « Le sang du Christ. » Cela lui rappelait trop certaines scènes de son enfance qui l'avaient épouvantée : lorsque, chez ses parents, on tuait le cochon. Elle n'est certainement pas la seule dans ce cas. Pourtant Jésus le lui dit comme il le disait autrefois aux Juifs, qui avaient tant de mal à accepter cette image : *Car ma chair véritablement se mange et mon sang véritablement se boit. Qui mange ma chair et boit mon sang demeure en moi et moi en lui* (Jn 6, 55s).

Le langage de Jésus n'est pas un langage sanguinaire, mais un langage d'amour. Dans la langue de l'amour, nous disons aujourd'hui encore : « Je donnerais mon sang pour lui. » La chair et le sang sont pour Jésus des images de son sacrifice sur la croix. Naturellement, celui-ci a eu lieu dans la réalité brutale des supplices romains. Mais pour Jésus, le don de lui-même sur la croix est l'expression de l'accomplissement de son amour. Jean parle ici de *telos*, ce qui signifie « but, tournant, pivot ». Sur la croix, notre destinée se transforme. A cet endroit, l'amour vainc définitivement la haine. *Telos* veut dire aussi « initiation au mystère » : sur la croix, Jésus nous initie au mystère de l'amour divin. L'Eucharistie est donc pour Jean initiation au mystère de l'amour de Dieu qui seul rend véritablement notre vie digne d'être vécue. En mangeant ce pain (Jean dit ici : mâchant) et en buvant au calice, nous sommes avec Jésus Christ dans une communion qui n'aurait pu être imaginée plus profonde : nous restons en Jésus Christ et il demeure en nous. Nous faisons inséparablement un avec lui. Nous sommes emplis de son amour. Traversés par cet amour, nous faisons l'expérience de ce qu'est la vraie vie : être aimé totalement, complètement envahis par l'amour divin, par la vie éternelle.

Dans l'Eucharistie, nous pouvons donc faire l'expérience de ce qu'est la vraie vie, une vie qui comble nos aspirations les plus profondes. La vie éternelle n'est pas en premier lieu une vie après la mort, mais une nouvelle qualité de vie, que nous pouvons expérimenter dès ici-bas. C'est un nouveau goût de vivre, le goût de l'amour qui seul rend notre vie digne d'être vécue. La vie vraie qui nous est offerte dans le pain eucharistique n'est pas détruite par la mort, mais se révèle, dans la mort, comme vie divine, impérissable. Le rapport personnel à Jésus que nous vivons dans l'Eucharistie survit à la mort. L'amour est plus fort que la mort. Dans son évangile, Jean se réfère plusieurs fois au Cantique des cantiques : *L'amour est fort comme la mort, la passion, inflexible comme le shéol ; ses traits sont des traits de feu, ses flammes, des flammes de Yahvé. Les grandes eaux ne sauraient l'éteindre, ni les fleuves le submerger* (Ct 8, 6s). Nous pouvons vérifier dans l'Eucharistie la vérité de ces mots par tous nos sens, et justement par le goût. Nous pouvons mâcher l'amour de Jésus et y sentir son baiser. Nous buvons son amour, afin qu'il pénètre dans tout notre corps et qu'il l'emplisse du goût de son amour.

Le langage populaire voit dans le sang le siège du tempérament. Quand j'ai quelque chose « dans le sang », cela correspond à ma nature la plus profonde. Quand nous mangeons le corps et buvons le sang de Jésus, nous avons part à son être le plus profond, à son amour, qui est plus fort que la mort. Depuis toujours, les poètes ont associé ces deux pôles. Ce n'est que face à la mort que l'amour révèle sa nature et sa force, plus puissante que celle de la mort. Si nous remplacions la langue eucharistique de la bénédiction du pain, qui nous choque, par une langue plus douce, l'amour qui doit nous pénétrer dans l'Eucharistie perdrait de sa vraie force. Ce n'est pas un amour *soft* que Jésus nous manifeste, mais un amour qui terrasse la mort, qui s'accomplit dans le don de soi sur la croix.

La deuxième image avec laquelle Jean interprète le mystère de l'Eucharistie est l'image du lavement des pieds. Jean place cet épisode là où les autres évangiles rapportent la scène du dernier repas. Le lavement des pieds constitue pour lui la preuve que Jésus manifeste son amour à ses disciples jusqu'au bout (Jn 13, 1s). C'est cet amour que nous expérimentons dans l'Eucharistie. Et cela se passe exactement comme dans le lavement des pieds. Nous arrivons, tels les disciples, avec des pieds poussiéreux et sales. Sur notre route, dans le monde, nous nous sommes maculés de péchés et de fautes. Nous nous sommes écorché les pieds. Nous avons été blessés. Si souvent, on nous a piqués et on nous pique encore à nos points sensibles. Dans l'Eucharistie, Jésus se penche sur nous, pour nous toucher avec amour à l'endroit où nous sommes les plus vulnérables, à notre talon d'Achille, et pour guérir nos blessures. Et il se penche sur nous pour laver la poussière de nos pieds. Il nous accepte sans réserve avec tout son amour, même là où, justement, nous nous pensons inacceptables, parce que nous sommes sales et impurs.

Le lavement des pieds est l'image de ce qui a lieu dans chaque Eucharistie. Chez Jean aussi, Jésus donne aux disciples le commandement de se laver les pieds les uns les autres, à son exemple. Mais cet appel ne signifie pas seulement que nous devons nous aider les uns les autres, il contient aussi une image de l'Eucharistie. En participant à la sainte communion, en écoutant sa parole, en faisant mémoire de ce qu'il a fait, nous agissons, les uns vis-à-vis des autres comme Jésus a agi envers nous. C'est avant tout pour Jean faire mémoire de l'amour avec lequel Jésus nous a aimés jusqu'au bout dans sa mort sur la croix. Mais l'Eucharistie n'est pas seulement commémoration, elle est aussi acte. Faire Eucharistie, c'est nous laver les pieds les uns les autres en nous laissant gagner par l'amour de Jésus sans nous reprocher nos fautes, mais en nous acceptant les uns les autres sans réserve, avec l'amour dont nous faisons l'expérience en Jésus. Pour saint Jean, c'est le lieu où nous pouvons dévoiler nos blessures aux autres. Car nous n'y arrivons pas sans faute, mais comme des êtres blessés et sales. Inutile de dissimuler nos blessures. C'est le moment de les montrer au grand jour et de les porter ensemble au Christ. Il les lavera et son amour les guérira.

Lors de son dernier repas avec ses disciples, Jésus tient un long discours d'adieu. On y trouve un troisième aspect de la compréhension johannique de l'Eucharistie, comme le lieu où le Seigneur ressuscité et élevé retrouve ses disciples et leur parle. La scène du soir de Pâques, où, malgré les portes closes, Jésus rejoint ses disciples paralysés par la peur, décrit ce qui a lieu dans l'Eucharistie. Jésus, qui est à présent près de Dieu, vient à la communauté rassemblée et lui adresse des paroles d'amour. Des paroles semblables à celles de son discours d'adieu, des paroles qui rayonnent d'un amour qui a vaincu la mort, des paroles qui ont franchi les ténèbres, qui viennent de l'éternité et qui ouvrent le ciel au-dessus de nous, des paroles qui relient le ciel et la terre, qui suppriment la frontière entre la vie et la mort. Pour Jean, la grande détresse des hommes réside dans leur incapacité à aimer. Ce qu'ils appellent aimer ne consiste qu'à se cramponner aux autres. Jésus est venu pour nous rendre à nouveau capables d'amour. L'Eucharistie est le lieu où nous pouvons pressentir l'amour de Dieu dans les paroles de Jésus, et par là, être à nouveau capables d'aimer les autres.

Mais Jésus ne fait pas que parler à ses disciples, il leur montre aussi ses mains et son côté (Jn 20, 20). Ses mains transpercées et son côté ouvert sont les signes de son amour, avec lequel il nous a aimés jusqu'au bout. Dans le pain rompu, nous touchons les blessures de ses mains, qu'il a mises au feu pour nous et qu'il n'a pas retirées pendant qu'on le clouait. Et dans le vin, nous buvons l'amour qui a coulé pour nous de son cœur transpercé. Dans la communion, nous touchons ses blessures, et nous avons le droit d'espérer le miracle de la guérison pour nos propres blessures. Dans ses mains transpercées, nous rencontrons Jésus à travers ce qu'il a accompli pour nous, lui qui a guéri les malades et relevé les faibles. Toute l'histoire de Jésus devient pour nous présente.

L'Eucharistie comme transformation

La théologie du Moyen Age a réfléchi avant tout sur le mystère de la transformation du pain et du vin dans le corps et le sang de Jésus. Elle a marqué de son empreinte le concept de transsubstantiation. Le cardinal Ratzinger exprime par ces mots ce que veut dire cette notion abstraite : « Le Seigneur s'empare du pain et du vin et bouleverse leur nature ordinaire en une nouvelle organisation[11]. » C'est en fin de compte l'organisation de son amour. Le pain et le vin deviennent très profondément l'expression de l'amour de Jésus. Ils deviennent quelque chose d'autre, le corps et le sang de Jésus, le signe du don de son amour sur la croix. La théologie moderne a essayé d'exprimer le mystère de cette transformation par diverses images. Quand je cherche un livre à offrir à une personne très chère, je mets dans ce livre quelque chose de mon amour. Il est plein de mes pensées et de mes sentiments. Quand une personne m'est très précieuse et très chère, je ne cherche pas n'importe quel cadeau pour elle, mais quelque chose qui lui rappelle en tout mon souvenir et mon affection. Ainsi Jésus a-t-il choisi le pain rompu, parce qu'il exprimait le mieux qu'il s'était laissé briser dans la mort par amour pour nous, afin que nous ne soyons pas brisés par l'absence d'amour autour de nous. Et il a choisi le vin pour synthétiser ce qu'il a dit dans son discours d'adieu aux disciples : *Il n'y a pas de plus grand amour que de donner sa vie pour ses amis* (Jn 15, 13).

Mais nous ne devons pas limiter la transformation eucharistique au pain et au vin. Dans les offrandes du pain et du vin, nous présentons toute la création à Dieu pour exprimer qu'elle est pénétrée par le Christ au plus profond d'elle-même, qu'en toutes choses nous rencontrons le Christ. Dans

---

11. Kurt Koch, *Leben erspüren – Glauben feiern. Sakramente und Liturgie in unserer Zeit* (Vivre la vie - Fêter la foi. Les sacrements et la liturgie aujourd'hui), Freiburg 1999.

le pain, nous déposons en même temps sur l'autel notre quotidien, tout ce qui nous use et nous broie chaque jour, les multiples grains qui demeurent en nous étrangers l'un à l'autre, tout ce qui nous déchire souvent, nos fatigues et notre travail. Le pain représente aussi notre histoire personnelle. Il est fait de blé, qui a poussé sur des épis, sous la pluie et le soleil, sous le vent et l'orage. Ainsi, dans le pain, nous nous plaçons nous-mêmes sur l'autel avec tout ce qui a bien poussé en nous et avec tout ce qui n'a pas poussé comme nous l'aurions voulu. Nous ne nous polarisons pas sur les blessures de notre vie, mais nous ne fuyons pas non plus devant elles. Nous les tendons à Dieu dans le pain. Il enverra aussi son Saint-Esprit sur notre vie et dira d'elle : « Ceci est mon corps. » Tout ce que nous apportons à Dieu, il le transformera, dans l'Eucharistie, dans le corps de son fils.

Dans le calice, ce n'est pas seulement du vin que nous présentons à Dieu, mais toute la douleur et toute la joie du monde. Le calice est là pour recueillir toutes les tribulations des hommes, mais aussi toute notre aspiration à l'extase, à un amour qui nous ravit, qui élève notre corps et notre âme. Avec le calice, nous élevons dans nos mains notre vie avec tout ce qu'elle contient de souffrance et de désir, de douleur et de joie, afin que tous la voient. Tout, dans notre calice, est digne de participer à la sphère divine. Et tout peut être renouvelé dans le sang de Jésus, dans l'amour fait homme, qui voudrait tout pénétrer en nous. Dans un rêve, il m'est soudain devenu évident que toute notre vie était métamorphosée dans les offrandes du pain et du vin. Je rêvais que je concélébrais la sainte messe avec notre Abbé. Nous accomplissions chacun nos rites. Lors de la préparation des offrandes, nous avons tendu nos montres au-dessus des offrandes de pain et de vin, afin que notre précipitation soit transformée. Notre travail, notre temps, notre inquiétude, nos problèmes, nos conflits intérieurs, nos soucis, tout était posé sur l'autel et transfiguré par l'Esprit de Dieu à qui nous demandions de descendre sur ces offrandes.

Beaucoup pensent qu'il n'est pas possible de célébrer tous les jours l'Eucharistie en tant que fête de l'amour de Dieu. Mais nous pouvons célébrer chaque jour en toute confiance la transformation de notre monde, de notre vie, de nos relations, de notre travail, de nos fatigues, de notre vie quotidienne. Car ce faisant, nous affirmons que nous ne sommes pas seuls pour affronter notre quotidien, que l'Eucharistie peut empreindre et métamorphoser notre vie jusque dans ses gestes les plus banals. Si je crois que Dieu change aussi le monde qui est le mien en pain et en vin, je peux aller au travail de façon plus tranquille, je peux espérer de façon plus confiante que tout ne restera pas tel quel, que des relations peuvent changer, que les conflits en cours peuvent se régler, que ce qui est pénible peut devenir plus facile. Et je peux proposer chaque jour quelque chose de nouveau à transformer, précisément ce qui me préoccupe, m'oppresse, me paralyse et m'empêche de vivre. L'Eucharistie est l'expression de l'espérance que, par la célébration de la mort et de la résurrection de Jésus, même ce qui est figé en moi peut être métamorphosé en vie nouvelle.

L'Eucharistie comme sacrifice : une initiation à l'amour

L'Église catholique a toujours compris l'Eucharistie comme un sacrifice. La Réforme a rejeté ce concept et a seulement considéré l'Eucharistie comme repas, comme cène. Aujourd'hui, nous savons que c'est à bon droit que la Réforme a protesté contre un concept sacrificiel dénaturé. Par ailleurs, beaucoup de catholiques ont du mal aujourd'hui à accepter le mot « sacrifice ». Ou bien cela leur rappelle une éducation qui réclamait d'eux le plus de sacrifices possibles pour être agréables à Dieu. Ou bien, ils voient dans le sacrifice de Jésus une obligation imposée par Dieu à son Fils. Face à ce genre de déformations, il faut s'inquiéter du véritable sens du mot sacrifice. Le mot signifie en fait que quelque chose de terrestre est élevé dans la sphère divine, donné à Dieu parce que appartenant à Dieu. De ce point de vue, le concept de sacrifice a un aspect extrêmement actuel. Aujourd'hui, tout doit servir à quelque chose. Tout doit être productif. Or, dans l'Eucharistie, nous remettons notre vie à Dieu, de qui nous l'avons reçue. Nous l'arrachons au contexte du rentable, de l'utilitaire. Elle appartient à Dieu. Nous créons un espace de liberté dans lequel nous ne devons rien « rapporter », rien « réaliser », rien « produire ». Nous rendons notre vie au Royaume de Dieu, auquel, en fait, elle appartient. Et en Dieu, nous accédons à notre propre vérité.

Le deuxième sens du mot sacrifice est celui de passion. Quand la Bible dit que la mort de Jésus est un sacrifice, elle veut expliquer par là que, dans sa mort, Jésus est allé jusqu'au bout de son amour. En aucun cas la Bible ne dit que

Dieu a demandé à son Fils de se sacrifier sur la croix. Jésus n'est pas venu sur la terre pour mourir pour nous, mais pour nous annoncer la Bonne Nouvelle de la proximité du Dieu d'amour. Quand il a compris que le conflit avec les pharisiens et les saducéens pouvait avoir pour conséquence sa mort violente, il n'a pas fui, mais il a conservé son amour pour les siens jusqu'à la mort. Jésus n'a pas conçu sa mise à mort comme un échec, mais comme offrande pour les siens. C'est ce qu'il explique dans la parabole du Bon Pasteur : *Je donne ma vie pour mes brebis... Personne ne peut me l'enlever, mais je la donne de moi-même* (Jn 10, 15.18). La mort de Jésus est donc l'expression d'un amour avec lequel il nous a aimés sans réserve jusqu'au bout, et l'expression de sa liberté et de sa souveraineté, dans lesquelles il s'est livré pour nous. En célébrant sa mort et sa résurrection dans l'Eucharistie, nous nous plaçons dans son amour avec lequel il a pensé personnellement chacun de nous. Dans la célébration de son sacrifice sur la croix, nous vérifions que l'amour du Christ peut toucher et transformer en nous tous nos contraires et toutes nos contradictions.

Mais les textes liturgiques parlent parfois aussi du sacrifice de l'Église. Quand il est question de sacrifice de l'Église, cela ne signifie pas que nous devons accomplir quelque chose pour que Dieu soit content de nous, mais que nous devons nous exercer à l'amour de Jésus. Sacrifier signifie donc s'exercer à cette attitude d'amour que le Christ a vécue avant nous. Nous exprimons ainsi notre aspiration, dans une communauté de destin avec Jésus Christ, à aimer Dieu et notre prochain et à nous laisser modeler par le Christ conformément à son amour.

Quand l'Église considère l'Eucharistie comme sacrifice, elle se situe dans la longue tradition des nombreuses religions qui toutes connaissent le sacrifice comme sommet du culte divin et source du renouvellement de la vie. C. G. Jung pense que les catholiques qui comprennent la sainte messe comme sacrifice auraient l'avantage d'être convaincus de la valeur de leur propre vie. Ils sentent que leur vie dans ce monde a de l'importance. En s'exerçant à l'amour du Christ et en s'offrant à Dieu comme « victime » avec le Christ, ils pénètrent le monde avec l'amour du Christ et participent ainsi à la transformation du cosmos, à son « amorisation », pour employer le terme utilisé par Teilhard de Chardin pour désigner l'imprégnation du cosmos par l'amour du Christ. Il ne faut donc pas poser aujourd'hui la notion de sacrifice au centre de notre compréhension de l'Eucharistie. Mais il ne faut pas non plus rayer purement et simplement de la carte ce concept si respectable et si ancien, présent dans toutes les religions et récurrent dans la Bible et la Tradition chrétienne : cela ne nous aide en rien. Car nous courons alors le danger de percevoir l'Eucharistie de façon trop gentille et trop banale. Notre vie est suffisamment desséchée et vide, la plupart du temps. A travers le sacrifice du Christ – ainsi que le croyaient les anciens – tout est renouvelé par la puissance de son amour. En nous, jaillit à nouveau la source de son amour.

L'Eucharistie comme mystère : l'homme, rêve de Dieu

Les Églises d'Orient comprennent avant tout l'Eucharistie comme mystère. Mystère, c'est-à-dire initiation au divin. L'initiation a lieu à travers la représentation de la vie divine par la mise en scène de différents rites. L'Église primitive orientale a compris l'Eucharistie sur le fond du culte hellénistique des mystères, au cours desquels les « mystes » (participants à la célébration des mystères) étaient introduits dans la vie de la divinité. Dans le culte de Mithra, les célébrants partageaient symboliquement la vie et la mort de Mithra et accédaient ainsi à sa puissance salvatrice et transformatrice.

Les Pères de l'Église grecs avaient cette même vision de l'Eucharistie. Nous célébrons la destinée de Jésus Christ, son incarnation, ses miracles, sa mort et sa résurrection. Et dans la célébration, nous participons à sa vie divine, qui a vaincu la mort. Notre vie est de même intégrée dans cette vie divine. Cette vision donnait aux premiers chrétiens la certitude que leur vie suivait le même cours que celle de Jésus, à vrai dire passait par la croix. Rien – ainsi le ressentaient-ils dans chaque célébration eucharistique – ne peut nous séparer de l'amour du Christ. Même la mort n'a pas de pouvoir sur nous. Nous sommes emportés sur le chemin de Jésus Christ et ce chemin nous conduit nous aussi à la vraie vie, à la vie en plénitude, qui se distingue par l'amour parfait et la joie parfaite.

On pourrait aussi expliquer le mot « mystère », qui reste encore souvent incompris, par le rêve que Dieu a sur l'homme. Nous ne sommes pas les seuls à avoir des rêves sur notre vie, Dieu aussi a rêvé l'homme. Et ce rêve est devenu réalité dans son Fils Jésus. C'est en lui que se sont manifestées la bonté et l'amour de Dieu pour les hommes (cf. Tt 3, 4). Les Latins ont traduit le mot grec *philanthropia* (amour des hommes) par *humanitas* (humanité, image de l'homme). En Christ, l'image de l'homme tel que Dieu l'avait rêvé s'est révélée. C'est l'image d'un être totalement uni à Dieu, traversé par la bonté et l'amour de Dieu. L'Eucharistie présente dans ses rites le mystère de l'incarnation de Jésus Christ, le rêve que Dieu a fait des hommes, unis à lui. Dans les rites de mélange (par exemple : l'eau dans le vin, le pain dans le vin), nous exprimons que tout comme Jésus, nous ne faisons qu'un avec Dieu.

Mais dans l'Eucharistie, nous ne célébrons pas seulement l'incarnation de Jésus, nous célébrons aussi sa mort et sa résurrection. Son incarnation s'accomplit jusqu'au bout. Même les abîmes de la mort ont été transformés par le Christ. Même dans la mort, nous ne pouvons être arrachés à notre union à Dieu. Lorsque l'Église représente le mystère de l'incarnation, de la mort et de la résurrection de Jésus, nous recevons part, nous accédons au mystère de la voie ouverte par Jésus, qui nous conduit nous aussi à l'unité avec Dieu et nous donne la certitude que rien ne peut plus nous détacher de l'amour du Christ, dans lequel nous sommes inséparablement unis à Dieu.

L'Eucharistie comme fraction du pain

Dans l'Église primitive, l'Eucharistie était désignée comme « fraction du pain ». Luc dit des premiers chrétiens de Jérusalem : *Chaque jour, ils étaient d'un même cœur assidus au Temple ; ils rompaient le pain dans leurs maisons et prenaient leur nourriture dans la joie* (Ac 2, 46). La fraction du pain rappelle aux chrétiens que Jésus, lors de la dernière cène et ensuite lors du repas avec les pèlerins d'Emmaüs, a rompu le pain. Quand le prêtre répète ce même geste aujourd'hui, l'assistance a sous les yeux la mort de Jésus, dans laquelle il s'est laissé rompre par amour pour nous. La fraction du pain représente le sommet de l'amour de Jésus dans son offrande sur la croix. Mais elle renvoie aussi à toutes les rencontres de Jésus avec les hommes, vers lesquels il s'est tourné pour les soigner et les libérer, avec lesquels il a partagé son temps, sa force, son amour. La fraction du pain rappelle que Jésus n'a pas vécu pour lui seul, mais que, tout au long de son existence, il n'a cessé de se rompre pour nous, pour se donner à nous et nous communiquer son amour. Jésus est essentiellement « pour l'être », « pour l'existence ». Nous exprimons dans la fraction du pain notre aspiration la plus profonde à ce que quelqu'un existe totalement pour nous, au point de nous aimer et de s'impliquer pour nous jusqu'à la mort.

En rompant le pain, les premiers chrétiens se souvenaient aussi de la parabole de la multiplication des pains, que rapportent tous les évangélistes. La structure de l'épisode de la fraction et de la bénédiction de ces pains est la même que celle de l'Eucharistie. Chez Marc, on trouve ces mots : *Il prit les sept pains, rendit grâces, les rompit et les donna à ses disciples pour les distribuer* (Mc 8, 6). La fraction du pain a rapport avec le partage. Les disciples doivent partager leur pain avec la foule présente. Le partage est un aspect important de la célébration eucharistique : celle-ci ne consiste pas seulement dans une invitation à partager ce qui nous appartient avec d'autres, à tendre notre pain à ceux qui ont faim, elle est déjà en soi fête du partage. Partage de notre temps et de notre espace. Dans cette célébration commune, dans les chants et la prière, dans le repas pris avec les autres, nous partageons notre vie, nos aspirations, et nos désirs, nos sentiments et nos besoins, nos peurs et nos espoirs. En partageant ensemble notre vie dans l'Eucharistie, nous créons un espace de communion et de convivialité. Il en naît solidarité, chaleur, et sollicitude. « Partager, c'est guérir », pense Bernard Rootmensen, c'est soigner une part de désunion. Le pain, que nous rompons l'un pour l'autre, nous offre l'espérance que ce qui est brisé et broyé en nous peut être guéri. Les morceaux de notre vie sont à nouveau rassemblés. C'est en même temps l'invitation à nous ouvrir aux autres, à briser la carapace de nos sentiments et à donner accès à nos cœurs.

II. LE DÉROULEMENT DE LA CÉLÉBRATION EUCHARISTIQUE

La célébration eucharistique, parce qu'elle suit toujours le même cérémonial, peut paraître ennuyeuse à beaucoup. Or, même si lors des fêtes ou à des occasions particulières, comme une messe pour un petit groupe, il peut y avoir une certaine modification de rites précis, le propre de l'Eucharistie est d'être toujours célébrée de la même façon. Nous n'avons donc pas à nous mettre sous pression et à tester sans arrêt d'autres formules en laissant ainsi le contenu spécifique de l'Eucharistie nous échapper. On peut aussi célébrer quotidiennement l'Eucharistie sans vraiment savoir ce que signifient réellement ses rites. Or, ceux-ci veulent tous nous présenter un aspect de l'amour de Jésus, tous veulent rendre visible à nos yeux ce que Jésus nous a donné et ce qu'il a accompli pour nous, nous montrer comment il agit à nouveau pour nous dans chaque Eucharistie. Les rites plongent leurs racines dans des représentations archaïques, répandues chez tous les peuples. Ils expriment l'aspiration des hommes à se transformer, à se sanctifier, à accéder au salut. Je voudrais donc parcourir le rite eucharistique étape après étape et l'expliquer. A certains endroits, je donnerai des suggestions sur la façon dont on peut procéder dans des occasions précises.

Les rites d'introduction

Toute célébration de culte commence par des rites d'introduction. « L'introduction crée l'accès à la scène close, mystérieuse, sacrée[12]. » Elle fonctionne en même temps comme une clef qui nous ouvre l'espace du sacré, à nous les hommes, qui sortons de la précipitation du monde. En entrant dans la liturgie, nous accédons à une autre dimension. Si nous voulons passer dans l'univers sacré de la liturgie, nous devons nous séparer de ce qui nous accapare d'ordinaire. La liturgie de Jean Chrysostome commence ainsi par l'hymne : « Abandonnons tous les soucis terrestres pour accueillir le Seigneur qui règne sur le monde[13]. » Beaucoup se plaignent de ce que l'Eucharistie n'ait rien à voir avec leur vie. Mais le propre du culte est de nous transposer sur un autre plan. Dans l'Eucharistie, nous pouvons nous distancier de ce monde, qui nous tient suffisamment dans ses griffes, accéder à un espace différent, un espace où nous avons le droit de vivre conformément à ce que nous sommes profondément, cela nous aide puissamment. Nous déplorons que notre société soit bien souvent devenue « sans âme ». L'Eucharistie, elle, nous fait du bien à l'âme. Elle nous aide à la retrouver, afin qu'ensuite, dans la réalité qui est la nôtre, nous puissions vivre notre vie de tous les jours « de toute notre âme », conscients de notre dignité divine, et sachant que nous valons plus que ce monde qui cherche à se saisir de nous.

Comme tous les cultes, la célébration eucharistique connaît toute une suite de rites d'introduction. La célébration com-

12. Alfons KIRCHGÄSSNER, *op. cit.*, p. 382.
13. *Ibid.*, p. 413.

mence par l'*Introït*, le chant d'entrée. La communauté entre en chantant dans le mystère de l'amour que Dieu va accomplir sous ses yeux dans l'Eucharistie. Le prêtre s'est déjà préparé à la célébration dans la sacristie en revêtant les vêtements liturgiques. Avant de passer chaque pièce de son habit, il a fait une prière particulière. Avec les clercs, il s'est préparé à cet acte sacré en silence. Puis, les portes de l'église s'ouvrent. Dans l'Église d'Orient, le prêtre prie en même temps : « Seigneur, j'entrerai dans ta maison et je prierai dans ton temple avec une crainte sacrée[14]. » Puis, le prêtre et les clercs s'inclinent devant l'autel et montent les marches qui y conduisent. Le prêtre embrasse l'autel. Le baiser est le symbole de la tendresse et de l'amour. C'est le contact le plus intense que nous puissions offrir à l'autre. L'autel est le symbole du Christ. En embrassant l'autel, le prêtre embrasse le Christ pour recevoir sa puissance et son amour. Il fait ainsi savoir que ce n'est pas lui-même qui célèbre l'Eucharistie, mais qu'il ne peut le faire que par la puissance et l'amour du Christ. Le « baiser », dit Kirchgässner, « est une inspiration de l'atmosphère divine, c'est boire à la source de la vie »[15]. Pendant la messe, le prêtre touchera souvent l'autel, « pour en tirer la force de célébrer »[16].

La clef qui ouvre aux croyants la porte de l'espace d'amour auquel ils ont accès dans l'Eucharistie est le signe de croix. Quand les premiers chrétiens faisaient le signe de la croix, ils voulaient dire qu'ils appartenaient à Dieu et non au monde, qu'aucun maître ne pouvait avoir prise sur eux. Et c'était pour

14. *Ibid.*, p. 392.
15. *Ibid.*, p. 498.
16. *Ibid.*, p. 498.

eux une distinction. Avec ce signe, ils gravaient l'amour du Christ sur leur corps. En faisant le signe de croix, nous nous bénissons nous-mêmes. Nous nous touchons d'abord le front, puis le bas-ventre, puis l'épaule gauche et l'épaule droite. Cela signifie que Jésus Christ aime tout en nous, la pensée, la vitalité et la sexualité, l'inconscient et le conscient. Nous commençons donc l'Eucharistie avec le signe de l'amour, pour exprimer dès le départ de quoi il est exactement question. Il s'agit, dans la messe, de faire concrètement l'expérience de l'amour du Christ. Nous lions le signe de croix à la formule trinitaire : « Au nom du Père, et du Fils, et du Saint-Esprit. » Elle est devenue pour beaucoup de gens une formule toute faite, mais nous reconnaissons ainsi que Dieu n'est pas un Dieu lointain, inaccessible, que c'est un Dieu qui s'ouvre à nous, qui nous intègre dans la circulation de son amour. On pourrait approfondir le sens de cette formule en se signant, comme dans l'Église syrienne – largement, très lentement et sciemment : « Au nom du Père, qui nous a pensés et créés, et du Fils, qui est descendu dans les profondeurs de notre humanité, et du Saint-Esprit, qui tourne notre gauche vers notre droite, transforme en nous l'inconscient et l'inconnu afin de les élever jusqu'à Dieu. »

Après le signe de la croix, le prêtre salue les membres de la communauté en leur souhaitant à voix haute que le Seigneur soit avec eux, avec sa paix, sa grâce, son amour. Il est clair ainsi que ce n'est pas le prêtre qui préside la messe, mais que le Christ lui-même est au milieu de nous comme le véritable acteur. Puis, après une courte introduction à la célébration, au mystère de la fête ou à la vie du saint, suit l'acte de contrition, avec lequel nous avons aujourd'hui quelques problèmes. Beaucoup pensent qu'ils doivent d'abord se considérer comme de pauvres pécheurs, que l'Église les « rabaisse » avant de leur accorder généreusement son pardon. Mais le sens véritable de l'acte de contrition est de nous permettre de nous avancer à la rencontre du Christ avec tout ce qui est en nous : avec nos zones de clarté et nos zones d'ombre, nos succès et nos échecs, nos réussites et nos ratés, et aussi avec notre culpabilité. Il n'est pas question de se faire petit. Le Christ nous invite à ne pas oublier de prendre avec nous les aspects de notre personnalité que nous préférerions laisser dehors, parce qu'ils nous sont désagréables. L'acte de contrition veut donc nous encourager à célébrer l'Eucharistie en tant que personnes entières, et non à ne sélectionner que nos côtés « pieux » pour rencontrer Dieu. Il nous rappelle, dès le début de la célébration, que faire Eucharistie, c'est faire l'expérience de l'amour miséricordieux de Dieu, qui nous accepte sans conditions.

La communauté, surtout s'il s'agit d'un petit groupe, peut bien sûr organiser cette partie de la messe de façon « personnalisée ». Ouvrir la cérémonie par une danse méditative, ou exposer les intentions pour lesquelles on souhaite que cette messe soit célébrée. Pendant l'acte de contrition, elle peut attirer l'attention sur les ennuis dans lesquels se trouvent certaines personnes ou leur entourage, ou le mettre en scène comme un spectacle. Lors d'une retraite de Pentecôte, un groupe avait représenté un étang, dans lequel on pouvait entrer pour dire ce qu'on voulait y laisser, de quoi on voulait être lavé.

Parfois, j'organise la préparation pénitentielle autour de trois gestes. D'abord celui des paumes ouvertes à la façon d'une coquille. Je dis en même temps une prière comme celle-ci : « Nous tendons à Dieu tout ce que nous avons pris, conçu et formé dans nos mains, tout ce qui nous est arrivé de bon et de mauvais. Nous tendons les mains que nous avons tendues aux autres et que nous avons retirées aux autres. Nous tendons tout ce qui s'est gravé dans nos mains, afin que Dieu les bénisse de sa main pleine de bonté. » Nous retournons ensuite nos mains face au sol. « Nous abandonnons ce à quoi nous nous agrippons. Nous enterrons ce qui est passé, ce qui nous pèse, ce que nous nous reprochons les uns les autres. Par ce geste, nous disons que le passé ne peut plus être utilisé comme reproche contre d'autres ou comme excuse pour notre incapacité. Nous abandonnons aussi nos sentiments de culpabilité. Nous les mettons en terre pour nous relever de la tombe des blessures que nous nous infligeons et de notre apitoiement sur nous-mêmes.» Et ensuite, nous nous donnons la main et nous présentons à Dieu nos relations avec tout ce qui nous réunit et tout ce qui nous sépare. « Nous présentons à Dieu les liens que nous avons tissés pour qu'il les bénisse. Et nous apportons aussi devant Dieu nos relations bloquées par les malentendus et les émotions, pour qu'il fasse s'épancher entre nous son amour bienfaisant. » Libre au groupe de faire preuve ici d'imagination créatrice, toutefois sans obligation. Mais si l'inventivité convient à des fêtes très particulières ou à des messes pour de petits groupes, il est important que la forme quotidienne demeure, qui, en soi, est à plusieurs voix.

Après la préparation pénitentielle viennent les accents du Kyrie. Il s'agit en fait d'appels pleins de respect au Très-Haut.

Quand ils sont chantés en grégorien, il est évident pour moi que le Seigneur lui-même est présent au milieu de nous. Nous chantons celui qui est parmi nous. Et ce faisant, nous distinguons de mieux en mieux son image au milieu de nous. Il en est ainsi lorsque quelqu'un chante la personne qu'il aime. Quand il chante, elle est devant ses yeux et il se sent profondément uni à elle. Lors de célébrations pour de petits groupes, j'invite les participants à appeler le Christ par le nom ou l'image qui leur vient spontanément à l'esprit. « Christ, toi, notre frère, Christ, toi, le Bon Pasteur, ami des pauvres, bien-aimé, lumière du monde ». Il est étonnant de voir la quantité de noms auxquels tiennent les participants. Chacun appelant le Christ par le nom qu'il choisit, on voit clairement qui est là parmi nous. Et il en résulte une relation intime à ce Jésus ici présent pour répondre à nos aspirations les plus profondes. Le dimanche et lors des fêtes, l'hymne de la Nativité, le Gloria, suit le Kyrie : « Gloire à Dieu au plus haut des cieux. » Avec lui, nous chantons déjà, pleins de joie, le mystère de notre Rédemption. Puis vient l'oraison, la prière du jour, au cours de laquelle le prêtre expose brièvement le mystère de la fête.

Les lectures

Au cours des lectures et de l'Évangile, la Parole de Dieu est proclamée. L'ordre des lectures qui a été introduit après le concile Vatican II nous offre un riche choix de textes bibliques. La Parole en elle-même se veut déjà efficace. Il faut donc être attentif pour ne pas percevoir seulement les mots avec les oreilles, mais encore pour les laisser descendre dans notre cœur. Pour cela, il faut faire silence en nous-mêmes. Quand la Parole arrive dans notre cœur, elle agit aussi. Pour qu'elle puisse y tomber, le lecteur doit l'annoncer de tout son âme. On doit sentir qu'en prononçant la Parole de Dieu, il s'implique, qu'il est touché par les mots qu'il lit. Les lectures et l'Évangile ne veulent pas, en premier lieu, nous dire ce que nous devons faire, mais qui nous sommes. Les lectures de l'Ancien et du Nouveau Testament exposent le mystère de notre vie. A travers l'Évangile, Jésus Christ lui-même entre au milieu de nous. Il s'adresse lui-même à nous et agit à notre égard comme l'annonce le texte. Avant de proclamer l'Évangile, le prêtre trace le signe de la croix sur le livre et sur lui-même, sur son front, sa bouche et sa poitrine, et les fidèles l'imitent. Nous disons ainsi que chaque mot est l'expression de l'amour avec lequel le Christ nous a aimés jusqu'au bout et que nous voulons imprimer cet amour dans notre pensée, nos paroles, et nos sentiments. Afin que cette Parole nous soit encore plus proche, le prêtre ou la personne chargée de l'homélie l'explicite. Celle-ci doit éclairer ce que nous célébrons dans l'Eucharistie et rendre la communauté plus consciente de ce qu'elle partage. Quand il n'y a pas d'homélie, il est parfois utile de relier en quelques phrases les lectures ou l'Évangile à notre vie. Cela peut avoir lieu, par exemple, dans l'introduction à la Prière universelle. Ce qui a été proclamé dans l'Évangile devient réalité dans l'Eucharistie, est exposé dans la représentation sacrée. Dans la communion, nous toucherons concrètement Jésus. Et par ce contact, nos blessures pourront guérir, notre peur se dissiper, notre tristesse se changer en joie, nos raideurs en vie et notre froideur en amour.

La Prière universelle

Le dimanche, après l'homélie, on dit le Credo, dans lequel nous confessons notre foi. Cela peut paraître abstrait. Mais chaque phrase du Credo exprime le mystère de notre vie sauvée par le Christ. Puis suit la Prière universelle, par laquelle nous faisons entrer le monde entier dans l'espace de la célébration eucharistique. La Prière universelle laisse le champ libre à l'imagination de la communauté. Si cela est opportun, elle peut être dite spontanément par l'assistance. Au cours de messes dites pour des groupes, ou lors de fêtes particulières, centrées sur la lumière (comme l'Immaculée Conception, Noël, la Sainte-Odile, la Sainte-Lucie, etc.), le prêtre peut inviter les fidèles à allumer un cierge ou une petite bougie à leurs intentions et à le déposer sur l'autel ou devant une icône. Lors de messes pour un groupe professionnel particulier ou pour une association, des représentants de l'assistance peuvent relier leur prière à un symbole, en choisissant un objet qui caractérise leur métier ou leur activité, à le placer devant l'autel et à dire une prière à ce sujet. Lors des célébrations faites pour de petits groupes, je relie parfois préparation des offrandes et Prière universelle en faisant passer le ciboire dans l'assemblée. Chacun le prend dans ses mains et y dépose quelque chose de soi, ou quelqu'un qui lui tient à cœur, en disant, soit en silence, soit à voix haute : « Je pose dans cette coupe ce qui en moi est sclérosé, mes inquiétudes, mes peurs, mon angoisse, mon manque de confiance en moi. Je dépose dans cette coupe ma sœur, qui se fait du souci pour ses enfants... », etc. Puis, il tend la coupe à son voisin, jusqu'à ce qu'elle revienne à moi. Alors, je lève le ciboire et je prononce une prière sur tout ce que nous y avons mis. Et je prie Dieu de transformer tout cela en même temps qu'il transformera le pain dans le corps du Christ.

La préparation des offrandes

La préparation des offrandes commence par une procession, qui toutefois, n'est plus pratiquée dans de nombreuses églises. Elle a pourtant le sens profond de présenter véritablement notre monde à Dieu. Quand les enfants de chœur, ou les représentants de la communauté apportent lentement et précautionneusement à l'autel le ciboire contenant les hosties et le calice, il est évident qu'ils y ont mis toutes les déchirures de notre monde, toutes les souffrances et les aspirations des hommes pour les déposer devant Dieu. L'Eucharistie est plus qu'une pieuse fête privée entre chrétiens. Elle concerne le monde entier. La transformation du pain et du vin se veut mouvement de transformation pour tout l'univers. De même que le Christ est mort pour le monde entier et l'a relevé dans sa résurrection, l'Eucharistie inclut l'ensemble du cosmos, quand, « aujourd'hui », le Christ est présent et agit parmi nous.

En ce sens, l'élévation des offrandes constitue une image importante. Par ce geste, les offrandes terrestres sont élevées dans le monde céleste. Nous reconnaissons que tout vient de Dieu et que tout appartient à Dieu. Nous louons Dieu pour les dons qu'il nous fait chaque jour et par lesquels nous pouvons éprouver concrètement sa bonté bienveillante. Mais, en élevant ces offrandes, nous faisons aussi appel à Dieu pour qu'il veuille bien se charger de nos soucis, pour que sa puissance guérissante et libératrice s'étende et agisse aujourd'hui aussi sur toute sa création et pour que sa miséricorde répare les désunions. Dans les offrandes, nous tendons notre vie jusque dans le Royaume de Dieu. Ce n'est que par Dieu que notre vie peut être sainte et pleine.

Lors de la préparation des offrandes, un petit rite est prévu, souvent omis. Le prêtre verse le vin et un peu d'eau dans le calice et dit en même temps : « Comme cette eau se mêle au vin pour le sacrement de l'Alliance, puissions-nous être unis à la divinité de celui qui a pris notre humanité. » Le mélange de l'eau et du vin évoque l'Incarnation. De même que Dieu a pris notre nature humaine, nous recevons part, dans l'Eucharistie, à la nature divine. Nous ne faisons plus qu'un avec Dieu, tout comme l'eau et le vin sont devenus indivisiblement un. On ne peut plus séparer l'eau et le vin, tout comme nous ne pouvons plus séparer en nous l'humain et le divin. Dans tous les cultes, il existe des rites de mélange. Ils expriment que ce qui est séparé se réunit, que l'unité originelle du paradis est restaurée. Alors, il n'y a plus de désunion. Le loup habite avec l'agneau, le veau avec le lion (cf. Is 11, 6). De même que le mélange de l'eau avec le vin n'est pas réversible, de même, l'union entre Dieu et l'homme en Jésus Christ – et par lui, en nous – ne peut être levée. Ignace d'Antioche († 110) écrit : « Nous sommes chair et esprit mêlés » et Cyrille d'Alexandrie († 444) dit : « Bien que nous soyons corruptibles, de par notre nature charnelle, nous perdons, par cette fusion, la caducité qui est la nôtre et nous serons transformés dans sa singularité (la nature du

Christ)[17]. » Ce rite du mélange de l'eau et du vin montre ainsi l'importance donnée par l'Eucharistie à l'incarnation, à l'hominisation de Dieu. Elle nous offre un nouveau sentiment d'exister. Car savoir que la vie et l'amour de Dieu circulent en moi et ne pourront plus être séparés de moi me donne le sens de ma dignité en tant que chrétien.

La Prière eucharistique

Après la préparation des offrandes commence, avec la Prière eucharistique, ce qui constitue véritablement le cœur de la célébration. La Prière eucharistique est introduite par la Préface, un chant de louange pour les merveilles que Dieu accomplit pour nous en nous apportant le salut. L'assemblée répond à la préface par le chant du « Sanctus » au Dieu « Trois fois saint », s'associant ainsi à la louange des anges. La communauté qui célèbre l'Eucharistie ne reste pas renfermée sur elle-même, mais s'ouvre ici une fenêtre sur le ciel, elle prend part à la liturgie céleste. Pour moi, c'est toujours un moment exaltant lorsque, nous concélébrons à l'abbaye, et que nous chantons le « Sanctus » autour de l'autel. J'ai alors le sentiment de le chanter avec tous mes frères qui ont vécu et loué Dieu ici, comme si le ciel s'ouvrait au-dessus de nous, comme si le ciel et la terre se rejoignaient.

Puis, le prêtre dit la Prière eucharistique, dont il existe plusieurs versions. Dans sa première partie (le post-sanctus), elle prolonge l'action de grâces de la Préface. Puis, dans

---

17. *Ibid.*, p. 469.

l'Épiclèse, le Saint-Esprit est appelé sur le pain et le vin, afin qu'il en fasse le corps et le sang du Christ. Le prêtre étend ses mains sur les offrandes, exprimant ainsi que l'Esprit de Dieu, dispensateur de vie, se répandra sur le pain et le vin, pour réaliser leur transformation dans le Corps et le Sang de Jésus Christ. Suit alors le récit de l'institution, toujours formulé avec les paroles mêmes qui nous ont été transmises par les évangélistes et par Paul. Après avoir prononcé ces mots, le prêtre élève l'hostie et le calice contenant le vin pour les montrer à tous. Tout le monde doit avoir conscience du mystère de la présence du Christ au milieu de nous. Et tous doivent le voir. *La vie s'est manifestée à nous* (1 Jn 1, 2). Cette phrase de la première lettre de Jean devient ici réalité. Depuis toujours, le rite de l'élévation a le sens de participation au mystère de la vision. Les Israélites étaient guéris des blessures de serpent en regardant le serpent d'airain. En regardant l'hostie, les fidèles espèrent une action salvatrice sur leurs propres blessures. A travers l'élévation de l'hostie, le verset du psaume 80 : *Fais resplendir ta face et nous serons sauvés* (Ps 80, 4), devient réalité. Après chaque élévation, le prêtre fait une génuflexion, se prosternant en priant devant le mystère de l'amour de Dieu qui rayonne pour nous en Jésus Christ en cet instant précis. Et l'assemblée répond à l'affirmation du prêtre : « Il est grand, le mystère de la foi », par ces mots : « Nous proclamons ta mort, Seigneur Jésus, nous célébrons ta résurrection, nous attendons ta venue dans la gloire. »

L'Anamnèse suit le récit de l'institution, une prière qui rappelle tous les actes salvateurs et libérateurs de Dieu en Jésus Christ, et avant tout la mort, la résurrection et l'ascension de Jésus. Tout ce que Dieu a fait en Jésus Christ est désormais parmi nous, présent pour nous. Son action qui guérit, libère et sauve s'étend à nous et au monde entier. Après cette prière, suivent alors les intercessions pour l'Église, pour la communauté rassemblée et pour les défunts avec lesquels la communauté se sent liée. La Prière eucharistique se termine par l'action de grâces, la « doxologie ». Le prêtre élève alors les offrandes du pain et du vin, montrant par là que c'est le Christ lui-même qui est le véritable célébrant et le véritable orant. Par le Christ, tout honneur et toute gloire sont rendus à Dieu. Auparavant, le prêtre a tenu l'hostie au-dessus du calice levé. Cela a une signification profonde. C'est pourquoi je m'arrêterai à ce rite admirable. L'hostie, par sa forme circulaire, est l'image du soleil qui, dans la résurrection, a vaincu les ténèbres pour toujours. Le calice contenant le sang de Jésus symbolise d'une part les abîmes de l'âme, sur lesquels se lève le soleil, et toutes les morts transformées par la résurrection. Par ailleurs, le calice figure une terre maternelle, d'où le Christ se lève comme le soleil. Ainsi, ce rite simple évoque-t-il le mystère de la résurrection. Le matin de la résurrection, les femmes sont arrivées au tombeau, *au lever du soleil* (Mc 16, 2). Dans la résurrection, le Christ s'est levé comme le vrai soleil. *Le peuple qui marchait dans les ténèbres a vu une grande lumière ; ceux qui vivaient dans le pays de l'ombre ont vu apparaître une grande lumière* (Mt 4, 16). Le Christ-soleil brille sur toutes les tombes dans lesquelles nous sommes prisonniers : sur la tombe de notre peur, de notre résignation, de notre dépression. Dans le Seigneur ressuscité, tout honneur et toute gloire sont rendus à Dieu. Et par lui et en lui, nous avons part nous-mêmes à la gloire divine.

La communion

Le Notre Père assure la transition avec la communion. Les Pères de l'Église indiquent, dans leurs commentaires, pourquoi le Notre Père est prié juste avant la communion : avant tout à cause des suppliques : « Donne-nous aujourd'hui notre pain de ce jour » et « pardonne-nous nos offenses comme nous pardonnons aussi à ceux qui nous ont offensés. » Le pain eucharistique – comme le pensent les Pères de l'Église depuis Origène – est le pain de notre nature spirituelle. Quant à la demande de pardon, elle est expliquée par saint Augustin comme le lavement du visage avant d'aller à l'autel. Dans notre abbaye, tous les moines, et non pas seulement les prêtres, prient la prière du Seigneur en l'accompagnant de gestes : soit les mains levées, soit les mains ouvertes en coquille. Et de nombreux fidèles s'associent à cette attitude. Naturellement, pour inviter l'assemblée à accomplir un geste particulier, il faut une certaine sensibilité. Car souvent, les gens ont peur de s'exprimer ainsi. En effet, il s'agit de dévoiler ses sentiments. Or, l'individu doit toujours se sentir libre, il ne doit pas se sentir agressé. Mais si, au cours de la liturgie, tout le monde accepte de s'exprimer par gestes, il en résulte une grande force et la célébration prend une densité et une profondeur insoupçonnées. Nous pouvons ainsi nous représenter qu'à travers nos mains ouvertes, l'Esprit de Jésus pénètre dans notre monde et l'inonde de son amour.

Après le Notre Père, le prêtre prie pour la paix dans le monde et invite tous les fidèles à se donner le signe de paix. Là aussi, cela demande beaucoup de circonspection et d'attention, à cause des blocages que de nombreuses personnes éprouvent à aller vers les autres. Dans les célébrations faites pour de petites assemblées, le danger existe parfois que tous se sentent forcés, par une certaine pression de groupe, à embrasser tout le monde, et à souhaiter la paix à tout le monde. Mais le signe de paix est une bonne façon d'exprimer que c'est ensemble que nous célébrons l'Eucharistie et que nous devons nous accepter mutuellement dans la mesure où nous voulons ne faire qu'un dans la communion avec le Christ et entre nous. Vient ensuite la fraction du pain. Souvent, les fidèles ne remarquent pas cet acte. Et cependant, ce rite est important. Les premiers chrétiens appelaient aussi la célébration eucharistique la fraction du pain. Le pain rompu rappelle que le Christ s'est laissé rompre pour nous sur la croix afin que nous ne nous brisions plus dans notre vie. Il s'est rompu lui-même sur la croix pour guérir ce qui en nous était brisé, pour rassembler et resouder les morceaux éclatés de notre vie. La fraction du pain nous rappelle que nous sommes nous-mêmes des hommes broyés et blessés, mais que le Ressuscité qui sanctifie et restaure tout s'est levé sur nos vies disloquées.

Après la fraction du pain, le prêtre trempe un petit morceau de l'hostie dans le calice. Pour les Anciens, cela symbolisait la résurrection du Christ. Si le corps et le sang représentent le don de soi de Jésus sur la croix, tremper le pain dans le vin signifie la réunion du corps et du sang de Jésus dans la résurrection. Je ne peux m'empêcher de trouver très belle cette image qui montre les fractures de ma vie guéries quand elles sont trempées dans l'amour du Christ, dont est rempli le calice. Ma vie redevient un tout en étant immergée dans le sang de Jésus qui est mort pour moi et qui est ressuscité. Les Pères de l'Église décrivent le pain trempé dans le vin comme « ferment », « levain ». Ils voient dans ce rite simple un symbole de l'union de la nature terrestre et de la nature céleste dans le Christ. Lors de ce rite, les jacobites syriens prient ainsi : « Seigneur, tu as mêlé ta divinité à notre humanité, et notre humanité à ta divinité, ta vie éternelle à notre condition de mortels... tu as accepté ce qui était nôtre et tu nous as donné ce qui était tien pour la vie et le salut de notre âme[18]. »

L'union du pain et du vin indique encore l'union de l'homme et de la femme. Le pain est pour C. G. Jung, féminin, et le vin, masculin. Ainsi, par ce rite simple s'exprime notre aspiration à l'unité, aux saintes noces dans lesquelles *animus* et *anima* cessent de se combattre, mais se fécondent l'un l'autre, et ne font plus qu'un dans l'union au Dieu qui nous a créés. Le pain et le vin représentent le solide et le liquide, tous les contraires de ce monde. Quand le pain est trempé dans le vin, ils ne font plus qu'un. Ainsi, tout ce qui en nous est souvent en guerre peut être unifié. C'est pourquoi la liturgie de saint Basile appelle le mélange du pain et du vin « la sainte union ».

Puis, le prêtre élève l'hostie avec ces mots : « Voici l'Agneau de Dieu qui enlève les péchés du monde. » Ce sont les mots mêmes avec lesquels Jean Baptiste a désigné le Christ aux disciples. Le prêtre montre dans le pain le Christ rédempteur et libérateur qui nous a aimés jusqu'au

18. *Ibid.*, p. 484.

bout. Ce sont des mots qui m'invitent, tel que je suis, à regarder vers le Christ et à faire en lui l'expérience de ma guérison. Ni mes péchés ni mon sentiment de culpabilité ne doivent m'empêcher de faire maintenant dans la communion l'expérience concrète de l'amour de Dieu. Dans ce renvoi à l'Agneau de Dieu, j'entends aussi les mots avec lesquels Jean Baptiste rend son témoignage : *Je l'ai vu, et j'atteste que celui-ci est le Fils de Dieu* (Jn 1, 34). Toute l'assemblée répond par les paroles prononcées par le centurion à l'adresse de Jésus qui veut soigner son fils : « *Seigneur, je ne suis pas digne...* » Nombreux sont ceux qui ont un problème avec cette phrase. Ils y associent tous les moments où ils se sont trouvés « humiliés » par leurs parents ou par l'Église. Je peux bien les comprendre. Mais j'aurais du mal à abandonner ces paroles bibliques à cause de ces associations négatives. Lors d'une discussion avec un chrétien protestant, celui-ci me disait que c'étaient là les paroles qu'il préférait dans toute la célébration eucharistique catholique. Il ne faut pas nous sentir diminués par ces mots, mais y mettre le sens du mystère de la communion, qui nous voit laisser entrer chez nous le Fils de Dieu. Il ne s'agit pas d'un morceau de pain ordinaire que beaucoup, aujourd'hui, prennent sans y faire attention. Il s'agit du Christ lui-même, qui vient à moi pour me guérir. En parlant ainsi à Jésus, le centurion ne s'humiliait pas. Au contraire, il se rengorgeait, expliquant à Jésus qu'il avait des soldats sous ses ordres : *Je dis à l'un : Va, et il va ; à l'autre : Viens, et il vient ...* (Mt 8, 9). Pourtant il ressent comme un honneur la venue de Jésus chez lui. Il sait qu'il n'est pas digne que Jésus entre dans sa maison, mais aussi qu'il suffit que Jésus dise seulement une parole. Et son *serviteur sera guéri* (Mt 8, 8). La liturgie a transformé le mot « serviteur » en « mon âme ». L'âme sert la vie. Quand notre âme est malade, l'être en est affecté dans sa totalité. Les paroles avec lesquelles nous répondons à l'invitation du prêtre sont donc l'expression de notre respect devant Jésus Christ qui vient et entre chez nous. Mais nous affirmons aussi par là que Jésus, dans la communion, guérira notre âme, qu'à travers notre rencontre avec lui, nous serons libérés de nos déchirements intérieurs, guéris et restaurés dans notre intégrité, que nos blessures seront transformées à travers notre union au Christ.

Puis, le prêtre et les laïcs qui l'assistent donnent la communion. Il est important que celle-ci soit réellement une rencontre avec le Christ. C'est pourquoi le prêtre place l'hostie devant les yeux de chaque personne en disant : « Le corps du Christ. » Le communiant doit reconnaître dans ce morceau de pain le Christ lui-même, qui entre dans sa maison pour le guérir au plus intime de son être. Cyrille de Jérusalem a décrit au IVe siècle l'attitude à observer pour recevoir la communion : « Quand tu t'approches, ne t'en va pas les mains étendues ou les doigts écartés, mais fais de ta main gauche un trône pour la droite, qui doit accueillir le Roi, puis creuse la paume de ta main et prend le corps du Christ en disant "Amen". Puis sanctifie tes yeux avec précaution en leur imposant le saint corps et accueille-le en toi[19]. » C'est un geste plein de respect que d'accueillir le Christ dans ses mains. Oui, au IVe siècle, on se touchait aussi les yeux avec le corps du Christ. Et quand on avait bu le sang du Christ, on

19. Andreas JUNGMANN, *Missarum Sollemnia*, Freiburg 1962, p. 469.

se touchait les lèvres encore humides avec les mains et on se bénissait ainsi les yeux, le front et tous les sens. Dans le rite de communion, les chrétiens faisaient autrefois l'expérience que Jésus touchait leurs yeux aveugles, et les ouvrait, que Jésus ouvrait leur bouche et leurs oreilles pour qu'elles parlent et entendent comme il faut. C'était une rencontre sensible avec Jésus Christ.

A cause des risques de contagion, on avait renoncé, au Moyen Age, à la communion au calice pour tous. Toutefois, d'autres façons de communier permettaient de se protéger de ce danger. Dans de nombreux endroits, on trempait le pain dans le calice. A Rome, on utilisait de petites canules qui permettaient de boire au calice. Quand cela convient, il faudrait aujourd'hui pouvoir tendre à nouveau le calice à tous, au cours de certaines messes particulières : messes pour des groupes, mariages, messes pour associations, le Jeudi saint et à la Fête-Dieu. Dans le sang du Christ, nous buvons l'amour de Dieu fait homme, afin qu'il pénètre tout notre corps et nous emplisse du goût de son amour. Je peux alors me représenter la puissance guérissante du Christ coulant dans toutes les blessures et les maladies de mon corps et de mon âme. Ou bien je peux me répéter les paroles du Cantique des cantiques : *Ton amour est plus doux que le vin* (Ct 4, 10). Je peux ainsi faire concrètement l'expérience de cet amour du Christ.

Le prêtre peut encore ajouter un mot après la prière des croyants, par exemple : « Celui qui mange de ce pain vivra éternellement. » Pour moi, il est significatif de répéter à la communion une parole de l'Évangile. Il est alors visible que ce qui est décrit dans l'Évangile est valable pour nous maintenant. Quand il est question d'une guérison, je peux dire : « Je le veux, sois guéri ! », ou bien : « Jésus dit au paralytique : lève-toi, prends ton lit et sors ! » En tendant le calice, je peux me référer à la guérison de la femme hémorroïsse (Mc 5, 25-34), en disant : « Le sang du Christ, afin que tu ne saignes plus. » Ou : « Que le sang du Christ soigne tes blessures ! » Ou bien je peux choisir dans une parabole un mot qui présente la communion sous un angle très précis. Alors, cela ne sera pas toujours le même rite de repas, mais Jésus me rencontrera chaque fois sous une autre image et agira en moi différemment. Je sentirai qu'il se comporte aujourd'hui avec moi de la même façon qu'avec les malades et les pécheurs de son temps, et que je prends en moi dans la communion sa Parole faite chair afin qu'elle transforme de la même façon mon corps et mon âme tout au fond de mon cœur.

Après la communion, il est bon d'observer un moment de silence, pour que l'union au Christ puisse arriver au cœur et être accomplie dans tous nos sens. Le silence peut donner de l'espace à un dialogue avec Jésus, qui, à présent, est en nous. Il peut aussi être un écho à ce que nous avons célébré, l'irruption du corps et du sang du Christ dans tout mon corps et dans les profondeurs de mon âme. C'est une introduction attentive au mystère de la communion : Dieu à présent inséparablement uni à moi. Ce que Dieu a fait en moi, je dois le réaliser pour moi dans ma vie. Si Dieu ne fait qu'un avec moi, je peux être en accord avec moi-même et avec ma vie, être en harmonie avec moi-même. Et si le Christ est en nous tous, je dois aussi essayer de me sentir, au fond de moi, bienveillant vis-à-vis de tous, uni à tous.

Le renvoi de l'assemblée

Après ce moment de silence, le prêtre dit la prière de conclusion, donne la bénédiction à l'assemblée et la renvoie dans la paix. Les fidèles doivent retourner dans leur quotidien bénis, et y devenir eux-mêmes une source de bénédiction et de paix. Par eux, la paix du Christ doit pénétrer dans le monde. Ils n'ont pas seulement fêté l'Eucharistie pour eux, mais ils sont à présent « envoyés » pour proclamer à la place du Christ : « *Réconciliez-vous avec Dieu !* » (2 Co 5, 20). Dans une messe de groupe, j'invite parfois les participants à se donner l'un l'autre la bénédiction et notamment en traçant une croix dans la main de leur voisin tout en disant un mot de bénédiction. La main, avec toutes ses lignes, est l'image de notre vie. Celui qui lit dans la main peut y reconnaître la vérité d'une personne. Dans ces lignes inscrites nous traçons la croix, pour confesser que toutes les lignes de l'amour de Dieu y sont embrassées, que Dieu peut transformer tous les chemins en chemins de sainteté et que Dieu tient sa main miséricordieuse, protectrice et salvatrice au-dessus de nous, que nous sommes portés dans sa main et que nous y sommes à l'abri.

La messe s'achève avec autant de soin qu'elle avait commencé. Les rites qui la terminent sont comme des clés qui seront tournées pour que les portes soient vraiment fermées et que cela soit fini pour l'assistance. L'Eucharistie s'achève sur la bénédiction, de sorte que les fidèles puissent l'emporter dans leur quotidien. Et ils sont renvoyés avec cette salutation : « Allez dans la paix ! » La paix de Dieu, dont ils ont fait l'expérience dans l'Eucharistie, les accompagnera sur leur chemin. Ils ne rentreront pas sans protection dans leur vie de tous les jours. « Personne ne sera plus jamais complètement dehors, qui a été une fois dedans et a participé aux mystères[20]. » Le prêtre baise encore une fois l'autel, pour emporter avec lui sa force et prendre encore une fois amoureusement congé du Christ. L'amour de Jésus, célébré sur l'autel, doit à présent imprégner ses paroles et ses gestes et se déverser dans toutes ses rencontres. L'assemblée prend congé soit en chantant, soit en écoutant l'orgue pendant sa sortie. Beaucoup restent encore assis en silence, pour bien intégrer en eux le mystère de cette sainte célébration et pouvoir sortir réellement différents de ce qu'ils étaient lorsqu'ils sont entrés. Pour que, transformés, ils puissent transformer aussi leur quotidien.

20. Alfons KIRCHGÄSSNER, *op. cit.*, p. 424.

III. VIVRE DE L'EUCHARISTIE

En tant que prêtre, il est très important pour moi de célébrer la messe si possible tous les jours. Ce n'est jamais ennuyeux pour moi. C'est toujours un mystère que le pain et le vin soient transformés dans le corps et le sang du Christ, et que dans la communion, je puisse être uni au Christ. C'est pour moi un besoin de célébrer l'Eucharistie comme introduction à ma vie ordinaire, pour vivre mon quotidien à partir de ce centre. Ce que l'Eucharistie apporte dans mon existence et comment elle la transforme, j'ai du mal à le décrire. Mais l'Eucharistie est une oasis où je peux boire à la source de la vie. Elle est la nourriture qui me donne la force qu'il me faut chaque jour pour faire face aux exigences de la vie.

Vivre des paroles de l'Eucharistie

Chacun vit de l'Eucharistie de façon différente. Pour nombre de personnes, il est important de méditer sur les lectures de la célébration eucharistique et d'en tirer une phrase, qui ensuite les accompagne tout au long de la journée : des paroles qui sont prélevées de la célébration eucharistique pour passer dans le quotidien et qui peuvent ensuite imprégner la vie de tous les jours. Les mots sont comme des verres à travers lesquels je contemple ce qui se passe autour de moi. Mais les mots entendus au cours de la célébration eucharistique sont plus que des paroles bibliques prises au hasard que je médite. Ce sont des paroles qui aujourd'hui sont annoncées partout dans le monde. Ce sont des mots qui, à travers la transformation de la Parole en chair dans l'Eucharistie, ont gagné en épaisseur. Ils sont devenus concrètement le corps et le sang de Jésus. Je ne les ai pas seulement entendus de mes oreilles, mais je les ai mangés et bus, et ils se sont incarnés en moi. Ils m'ont unifié. A présent, ces mots vont aussi s'incarner dans mon quotidien, prendre chair, afin que ma vie de tous les jours se transforme.

Vivre de la communion

D'autres vivent plutôt de l'expérience de la communion. Pour eux, il est important de savoir qu'ils ne sont pas seuls, mais que le Christ est en eux comme la véritable source de vie et d'amour. L'idée qu'ils sont devenus un avec le Christ, qu'ils vivent de leur relation intime avec lui ne les quitte pas. Et ils voient ce Christ non seulement en eux-mêmes mais aussi dans leurs frères et dans leurs sœurs. Ils ont un rapport différent avec eux-mêmes. Ils voient le Christ dans toutes leurs rencontres. Dans la communion, ils sont aussi devenus un avec tous les hommes pour lesquels le Christ est mort et qu'il entoure de son amour. La pensée de l'Eucharistie peut, dans les conflits quotidiens, leur donner la sensation qu'en chacun de nous il y a un noyau qui est bon, que chacun aspire à devenir intérieurement semblable au Christ, et qu'en fin de compte chacun souffre des conflits. La foi au Christ présent dans l'autre les aide à croire qu'il y a dans toute personne du bon qui peut éclore.

L'autel du quotidien

D'autres attachent beaucoup d'importance à l'idée que l'autel sur lequel a lieu leur propre offrande est leur quotidien. Ce qu'ils ont célébré à l'église, l'offrande de Jésus pour eux et leur propre offrande à Dieu, se matérialise lorsqu'ils remplissent leurs obligations quotidiennes, lorsqu'ils s'investissent dans leur profession, et ainsi servent leurs semblables pour lesquels ils ont pris des responsabilités, que ce soit leur famille, leur entreprise ou la collectivité. Leur travail est aussi une sorte de messe, le prolongement de l'Eucharistie. Dans chaque travail, il est finalement question d'offrande et de sacrifice. Nous nous donnons à une œuvre ou à un service. Nous sacrifions notre force ou notre attention aux hommes ou aux choses. Dans notre travail quotidien, le sacrifice de l'autel continue et se prolonge dans la réalité qui est la nôtre. Et il est souvent plus difficile d'accomplir le sacrifice sur l'autel de notre quotidien, de nos conflits journaliers et de nos déceptions que de le célébrer sous les voûtes d'une cathédrale, parmi les chants de fête.

Dans le travail, il s'agit de transformer le monde pour qu'il soit de plus en plus perméable au Christ et que les hommes puissent le reconnaître en eux. Ils disent en quelque sorte les mots de l'Épiclèse, qui, dans l'Eucharistie, sont prononcés sur le pain et le vin, sur leur travail, sur leurs discussions, sur leur bureau, sur la tenue de leur maison : « Envoie ton Esprit, Seigneur, sur ces offrandes et sanctifie-les afin qu'elles deviennent pour nous le corps et le sang de ton Fils, notre Seigneur Jésus Christ. » Le Saint-Esprit, qui a transformé le pain et le vin au corps et au sang du Christ, transforme aussi leur quotidien. Sur tout ce qu'ils prennent dans leurs mains, ils peuvent dire : « Ceci est mon corps. Ceci est mon sang. » En tout, ils rencontrent le Christ comme cause première de toute existence.

La transformation de notre quotidien à travers l'Eucharistie implique aussi un autre rapport avec les choses, avec les êtres, avec la création. Il s'agit de témoigner aux personnes que nous rencontrons le même respect qu'au Christ dans la communion. Le Christ veut nous rencontrer en eux aussi. Saint Benoît vit de cette piété eucharistique quand il demande au cellerier de faire en sorte que tous les outils du monastère soient manipulés de la même façon que les saints objets de l'autel. Il doit les prendre avec respect, avec autant de respect que le corps et le sang du Christ dans l'Eucharistie. Dans tout ce que nous touchons, nous sommes finalement en contact avec l'amour du Christ, qui imprègne toute la création.

Célébration eucharistique et repas quotidiens

Si l'on considère l'Eucharistie avec tout le sérieux que l'on doit, on prendra aussi ses repas d'une tout autre façon. Dans chaque repas, il y a quelque chose de l'Eucharistie. Ce que nous mangeons nous est donné par Dieu, imbibé de son Esprit, de son amour. Il faut donc le consommer avec respect. Finalement, chaque repas célèbre l'amour de Dieu. Dieu prend soin de nous et il nous aime. C'est seulement quand nous mâchons lentement notre pain que nous pouvons en apprécier vraiment le goût. Et en le savourant, nous ressentons quelque chose de l'amour de Dieu, qui donne un nouveau goût à notre vie.

Manger a toujours été considéré comme un mystère par l'homme. Ce mystère culmine dans la sainte Cène, qui éclaire les repas quotidiens de sa lumière. Manger, c'est bien plus qu'apaiser notre faim. Nous n'absorbons pas simplement de quoi nous rassasier : nous mangeons des aliments qui nous permettent de vivre, dans lesquels nous percevons quelque chose de la vie que Dieu nous offre. Saint Benoît a également ritualisé les repas des moines. Ce sont comme des agapes, le prolongement du repas d'amour que Jésus a partagé avec ses disciples. Cela s'exprime dans la prière qui précède et qui suit le repas, mais aussi à travers la lecture, dans laquelle nous écoutons la Parole de Dieu qui s'ajoute à ses dons, et nous rappelle que tout vient de Dieu et que tout est rempli de l'Esprit Saint.

L'adoration eucharistique

Pour nombre de personnes, l'adoration eucharistique est la voie qui permet de vivre de l'Eucharistie. Ils se retirent à l'église, agenouillés devant le Tabernacle. Pour eux, le Christ lui-même est présent dans le pain eucharistique qui y est conservé. Ils méditent sur son amour, avec lequel il s'est offert pour nous. nous a aimés jusqu'au bout sur la croix. Et ils mettent dans cet amour tout leur quotidien, avec leurs conflits, leurs agressions, leur insatisfaction, leurs blessures et leurs déceptions. Ils peuvent alors voir leur vie de tous les jours se transformer et leurs idées noires se dissiper.

Dans de nombreuses églises, on pratique l'adoration eucharistique, durant laquelle on expose le Saint-Sacrement dans l'ostensoir. Adorer signifie regarder l'hostie en y voyant le Christ lui-même. En contemplant l'hostie, je pressens que ce pain n'est pas seulement transformé en corps du Christ, mais que cette transformation englobe le monde entier. Le Christ est devenu le centre le plus intime de toute réalité. En regardant le Saint-Sacrement, je regarde ce monde avec des yeux neufs. Je reconnais le Christ comme véritable fondement de toute chose. Et je sais que tout est pénétré de son amour.

Cette expérience fut décisive pour Teilhard de Chardin, ce jésuite, célèbre naturaliste. Dans l'adoration, il avait fait l'expérience que, de l'hostie, le Christ éclaire le monde entier de son amour. Si, dans l'adoration, je ne fais qu'un avec l'hostie que je contemple, je sens aussi que le Christ est en moi. Et j'essaie de me représenter qu'il pénètre à présent dans toutes les pièces de la maison de ma vie, même dans celles où s'est nichée la colère et dans celles qui ont été salies par les déchets de la pagaille quotidienne. L'adoration eucharistique est une liturgie du cœur. Elle poursuit ce que nous avons célébré ensemble dans l'Eucharistie. Elle relève essentiellement de la contemplation. Dans la contemplation de l'hostie, nous regardons la réalité de notre vie sous un jour nouveau.

Quand l'Eucharistie fait signe

Dans la tradition spirituelle, il existe de nombreux signes qui nous invitent à vivre du mystère de l'Eucharistie. Il y a le son des cloches. Nombre de ceux qui n'ont pas le temps, dans la semaine, d'aller à la messe, s'en souviennent au son des cloches. Et cette pensée transforme déjà leur quotidien. Chez nous, les cloches sonnent aussi pendant la transsubstantiation. C'est pour beaucoup une invitation à s'arrêter intérieurement et à croire que ce qui a lieu dans l'Eucharistie transforme aussi leur vie quotidienne concrète. Pour d'autres, la vue de chaque église leur rappelle l'Eucharistie. Pour moi, c'était toujours émouvant de voir mon père ôter son chapeau chaque fois qu'il passait devant une église. C'était l'expression de son respect pour l'Eucharistie qui y était célébrée chaque jour. Dans la tradition spirituelle, on connaissait le renouvellement spirituel de l'Eucharistie. Quand on n'a pas la possibilité de participer à l'Eucharistie, on s'unit spirituellement à la célébration de la sainte messe pour sanctifier sa vie et s'abandonner à Dieu, comme le Christ. Le but de cet exercice était de comprendre chaque journée comme une Eucharistie, comme action de grâces et offrande à Dieu. Il est décisif, quand on pense ainsi à l'Eucharistie, qu'elle ne reste pas limitée à sa courte célébration, mais qu'elle agisse sur toute notre vie, qu'elle transforme tout en nous et autour de nous, et que nous rencontrions partout l'amour avec lequel le Christ nous a aimés jusqu'au bout.

L'Eucharistie, drame sacré

Dans l'Eucharistie, nous célébrons ce qui est au cœur de notre foi. Mais cela veut dire aussi que nous y condensons tous les problèmes de notre foi et tous nos problèmes relationnels. Il ne s'agit pas d'arranger l'Eucharistie de façon plus agréable, mais de savoir comment nous pouvons aujourd'hui exprimer notre foi de telle sorte que nous nous y retrouvions nous-mêmes et que nous y retrouvions nos aspirations ; que nous y fassions l'expérience de Jésus Christ comme notre Rédempteur et Sauveur, comme notre libérateur et comme celui qui nous révèle le sens de notre vie. L'Eucharistie est un drame sacré. Mais comment le jouer de sorte qu'elle atteigne les hommes d'aujourd'hui ? Nous ne devons pas adapter l'Eucharistie au goût du jour. Or, aujourd'hui, ce qui est étranger et compliqué ne peut être adressé à l'homme que s'il est adapté et exposé avec soin.

L'évangéliste Luc, en tant que Grec fasciné par le théâtre et le spectacle, a décrit la mort de Jésus sur la croix, qui est célébrée dans chaque Eucharistie, comme un drame sacré. Cette mise en scène devait avoir pour effet de toucher les personnes au cœur et de leur faire vivre une profonde conversion intérieure : *Toutes les foules qui avaient contemplé ce spectacle, voyant ce qui s'était passé, s'en retournaient en se frappant la poitrine*. Il importerait que nous jouions aujourd'hui ce drame sacré de l'Eucharistie de telle sorte que les personnes réunies dans l'église – souvent simplement spectateurs – réagissent comme des personnes concernées et retournent à la maison transformées, comme des hommes qui ont senti qui est Jésus Christ : qu'il leur offre la vraie vie et qu'il guérit leurs blessures, qu'il les relève et leur montre une voie pour mener en ce monde une vie qui ait un sens. Nous ne devons pas attendre de chaque célébration de l'Eucharistie d'être concerné jusqu'au plus profond de nous-mêmes. Mais le sentiment que le mystère de Dieu et des hommes est célébré devrait toujours y être palpable. Alors, la célébration de l'Eucharistie – ainsi que le voit le Grec que fut saint Luc – contribuerait beaucoup à apporter le salut de Jésus Christ dans ce monde malheureux. En sortant de la sainte messe pour retourner à notre vie quotidienne nous serions relevés et capables de relever les gens qui nous entourent, capables d'avoir un rapport juste avec les choses de ce monde.

TABLE DES MATIÈRES

III. VIVRE DE L'EUCHARISTIE

Impression et finition Saint-Paul Imprimeur, 55000 Bar le Duc
Dépôt initial : août 2002 – Dépôt légal : mars 2005 – N° 03-05-0164